En el Infierno

Coronel
Luis Alberto Villamarín Pulido

En el Infierno

Dedico esta obra a usted amable lector, reflejo de un drama que
aún no ha sido escrito en su verdadera dimensión.

© Luis Alberto Villamarín Pulido
© Ediciones Luis Alberto Villamarín Pulido, Bogotá - Colombia
Email: Lualvipu@latinmail.com
          Lualvipu@hotmail.com

Diagramación y carátula:
Artes y Gráficas Creativas
Noviembre de 2003

ISBN 958- 96082-1-3

Índice

Prólogo

Capítulo I
De niño ciclista soñador a niño sicario.

Capítulo II
El bautizo de fuego y la guerra de guerrillas

Capítulo III
Sicariato comunista y el secuestro

Capitulo IV
Los consejos de guerra revolucionarios

Capitulo V
Estremecedor final de una pesadilla

Epílogo

Reseña gráfica
Quienes viven y mueren en el infierno

Otras obras del autor

Prólogo

Con suma crudeza derivada del espontáneo y estremecedor testimonio verbal de Johny un exguerrillero con 13 años de militancia en las farc, *En el Infierno*, recopila y graba para la memoria histórica las vivencias de un campesino huilense[1], quien por desafortunados avatares del destino, cumplidos doce años de edad abandonó el hogar materno para ingresar a las filas de la agrupación irregular armada mas antigua de Latinoamérica.

El relato de Johny consolida el dramático y conmovedor torrente de la realidad oculta o disfrazada, de lo que a diario ocurre dentro de los férreos sistemas leninistas, como el cultivado desde el nacimiento de las farc por su inspirador el ex sindicalista petrolero y miembro del comité central del partido comunista colombiano, Luis Alberto Morantes, mas conocido en las guerrillas con el mote de *Jacobo Arenas*.

El testimonio documental refleja perfiles insospechados de la guerra revolucionaria que asedia a Colombia desde hace casi cinco décadas, producto de la audaz dirección de Pedro Antonio Marín alias *tirofijo* o Manuel Marulanda Vélez, agravada con la corrupción de muchos dirigentes políticos que por acción u

---

[1] Natural del departamento del Huila ubicado al sur de Colombia

omisión han permitido que las cosas lleguen a extremos insospechados.

La crueldad de las guerrillas colombianas, 40% integradas por miles de imberbes campesinos de apariencia inofensiva, descrita con amplitud y precisión por Johny, desenmascara ante el mundo entero la flagrante violación a la normativa del Derecho Internacional Humanitario, a la par con la comisión de todos los delitos atroces y actos de barbarie, señalados en todo el planeta, como abierto ataque contra los Derechos Humanos de víctimas actuales y potenciales.

Por las páginas de *En el Infierno*, escrito en primera persona para conservar la carga emocional del dantesco testimonio, desfilan el sicariato en nombre de la etérea revolución socialista armada, el secuestro, el reclutamiento de menores, el narcotráfico, el terrorismo, las masacres, la mentira derivada de la dialéctica marxista-leninista, los innegables nexos de los dirigentes comunistas locales y nacionales con su brazo armado, la ambición final de los guerrilleros, la ingenuidad de los colombianos que creen en la paz bonachona y la evidente estrategia integral de las farc en pos de la toma del poder político, mediante la combinación de todas las formas de lucha.

Los juicios sumarios mediante tramas urdidas producto de chismes y consejas, el nulo concepto del valor de la mujer como ser humano, los abortos forzados, la eliminación silenciosa de compañeros heridos, condiciones internas características de las farc; son preocupantes signos de degradación del conflicto y desconocimiento de las leyes de la guerra y de los derechos fundamentales de la población civil, por la que las farc dicen estar comprometidos en la lucha armada.

La publicación anterior de 25.000 ejemplares de *En el Infierno*, mas otros 5.000 traducidos al idioma inglés con el título *In Hell*, reflejan el doloroso y aterrador impacto sicológico que causa entre los lectores una crónica de barbarie revelada con sensatez por el joven arrepentido......

Que sea el lector quien juzgue y emita el veredicto acerca de esta cruda realidad, pues la guerra continúa, mientras que miles de Johnys permanecen empantanados en le fango de la violencia irracional.

Coronel Luis Alberto Villamarín Pulido
Autor

Capítulo I

De niño ciclista soñador
a niño sicario

Este amargo pasaje narra cómo por extrañas circunstancias del destino, dejé de ser un niño protegido y nacido en el seno de una familia dotada con las comodidades normales propias de la clase media colombiana, para desde los tres primeros días de militancia subversiva, convertirme en un homicida con sed delictiva, con tan solo trece años de edad.

Soy hijo de una laboriosa campesina ama de casa y de un honrado agricultor asesinado como consecuencia de los odios entre liberales y conservadores. De él recuerdo muy poco. Se que fue un hombre altivo y serio, que pagó con la vida su credo político. Para completar la desgracia de mi orfandad, años mas tarde cuando ya había abandonado la lucha armada, en retaliación por que deserté de las farc, mi madre fue asesinada por los mismos guerrilleros que con engaños y artilugios me incorporaron movimiento subversivo.

Nací el 16 de mayo de 1969 en el municipio de Colombia, departamento del Huila. Estudié cuatro años de educación primaria en una escuela pública. Fui un alumno común y corriente que sin mayores contratiempos ni problemas, cumplió las labores académicas, pero que además, debido a las noticias radiales o televisadas, llegó a emocionarse y soñar con ser el émulo de ciclistas de la talla de Rafael Antonio Niño, Martín Emilio *Cochise* Rodríguez, José Patrocinio Jiménez o de Alfonso Flórez cuando ganó el Tour del Avenir en Francia en 1980.

En aquella época aspiraba a ser alguien importante en el mundo de los mortales, para dejar atrás la monotonía de la vida rural, causa y razón de muchas de las inexplicables oleadas de violencia que han sacudido al país desde su nacimiento como república independiente. Atraído por lo que percibía en las noticias deportivas, soñé ser campeón mundial de ciclismo. Sueños y aspiraciones eran fundidos con ilusorio pedaleo sobre una deteriorada bicicleta semi-carreras. Empeñado en brillar como deportista desfogué ímpetus de juventud sobre las carreteras del Huila.

Entre el 23 y 26 de septiembre de 1981 participé en una clásica prejuvenil de ciclismo celebrada en los alrededores del municipio de Gigante. Ocupé el tercer lugar en la clasificación general. Como premio al esfuerzo realizado, recibí un trofeo que quedó para siempre en la casa materna, el cual debe haber sido motivo de orgullo para mi mamá durante tantos años de doloroso alejamiento y separación, que por desgracia también fueron los últimos de su existencia.

Los organizadores del concurso deportivo exigieron que para participar en futuras competencias, debería llevar una bicicleta de carreras, pero la familia no tuvo la facilidad y quizás tampoco el deseo de comprarla, pues mi mamá pensaba que el futuro de sus hijos estaba en las aulas de clase de bachillerato y no en los pedales de una bicicleta. Enfrascado en una polémica perdida de antemano, terminé el cuarto año escolar y viajé a mediados de noviembre para pasar vacaciones en una finca de nuestra propiedad ubicada en la vereda Galilea del municipio de

Colombia en el departamento del Huila. Dicho viaje sería la antesala de una travesía indescriptible.

El espeluznante drama de mi existencia comenzó a las diez de la mañana del seis de diciembre de 1981, cuando llegaron tres guerrilleros hasta la casa de campo en Galilea. Se identificaron como Darwin, Duvar y Marleny, integrantes de la compañía Isaías Pardo del frente 17 de las farc. Les ofrecí *agua de panela*[2] que bebieron de buena gana. Los tres jóvenes tomaron asiento en sendas butacas para limpiar las armas y sin mayor problema permitieron que las manipulara entre las manos, además me enseñaron a diferenciar una carabina .30, una subametralladora MP-5, y un fusil G-3.

Con el paso del tiempo concluí que aquel bonachón muestreo con la generosa explicación, fue un acto premeditado para inducir y acelerar mi ingreso al grupo guerrillero.

Marleny repitió varias veces la tendenciosa invitación para ir con ellos al monte, e inclusive adujo:

- Edinson: ingrese a las farc. No se va arrepentir. Es algo bueno. Los jóvenes de su edad incorporados al movimiento armado son el futuro del país. Para el año 2.000 tendrán 30 años, la mejor edad del ser humano. Mire y analice nada mas este ejemplo. La guerra es tan comprometedora que dejé en Puerto Toledo a mi hija Mary Luz de tan solo 3 años y medio para venir a *guerrear* en el monte-

Los hábiles ofrecimientos fueron un mar de bondades premeditadas con frases de cajón para reclutar un joven mas. Ninguno de los tres guerrilleros contó en ese momento la verdad de la desgraciada existencia que cualquier miembro de las farc vive en la montaña o la selva.

---

[2] Bebida típica colombiana.

Tampoco sospeché ni imaginé como durante casi trece años de turbulencia existencial cambiaría la vida de un niño que de ciclista soñador se convirtió en sicario al servicio de un partido político y de una organización fuera de la ley. Dicha incorporación a las farc fue una desafortunada revancha contra el destino que obstaculizó el juvenil deseo de alguien que quería ser importante entre los colombianos.

Es probable que la ingenuidad proporcional a la tierna edad de doce ó trece años, complementada con anhelos de ser famoso o admirado, y en cierto modo el deseo de vengar la muerte de mi padre, sumados a las tentadoras ofertas de los tres guerrilleros, me indujeron a ingresar engañado al oscuro mundo del crimen, disfrazado con el ropaje de *la lucha revolucionaria de clases*, a nombre del comunismo doctrina política y económica que perdió vigencia en el viejo continente, no obstante que es allá donde se han cocinado los grandes cambios políticos de la humanidad.

Acepté pertenecer a las farc convencido que alcanzaría de otra forma los idilios de grandeza personal, pero con la condición que fuera después del 8 de diciembre, fecha del cumpleaños de mi mamá. Por tal razón, acordamos el reencuentro el día 10 del mismo mes.

- No olvide llevar un par de botas de caucho. Las va a necesitar mucho- dijo Marleny con tono persuasivo.

El 8 de diciembre se reunió toda la familia en la finca para celebrar el cumpleaños de mi mamá a quien no comenté nada, pero Gabriela la por siempre seria y caracterizada hermana mayor descubrió el plan y por ende le contó lo que estaba en ciernes. Mi mamá utilizó todos los recursos persuasivos propios del amor maternal, para tratar de convencerme *que no cometiera esa brutalidad,* pues ella sufriría mucho, solo al pensar en la suerte y el destino del hijo que encarnó *la oveja negra* de la familia.

- Mañana mismo regresamos a la casa o mejor vamos para Neiva donde su tía Rosalba, para que se dedique a estudiar y no a pensar en esas *ideas del diablo*. Los adultos del Huila sabemos que pertenecer a la guerrilla es estar *en el infierno*. Somos pobres pero muy honrados y en la familia nunca hemos tenido gente mala. Mejor siga el ejemplo de su hermano que se fue para el Ejército, ahora es suboficial y trabaja para el gobierno- aseveró mi mamá.

- ¡No puedo hacer eso, porque ya comprometí la palabra con esos señores y la voy a cumplir!- contesté arrogante.

No tenía la menor idea acerca de los alcances de aquello que decia y hacía con exagerada prepotencia. Estaba desilusionado por no poseer la soñada bicicleta. Reaccioné por orgullo herido, por vanidad, por rebeldía. Hoy reconozco que fue una decisión apresurada y estúpida. Una locura que pago con este testimonio, con el arrepentimiento y con la carga de conciencia que me persigue por todas partes.

Desconsolada y triste, mi mamá salió llorosa con rumbo a Neiva. Esperé en la vereda Galilea hasta el 10 de diciembre. Los guerrilleros llegaron a la hora convenida. La *guisandera,* es decir la señora que trabajaba en la finca, preparó almuerzo para todos. En verdad, no éramos ni ricos ni pobres. Como dicen los campesinos teníamos *modito de vivir*, pues la alejada estancia produce café, cacao y tiene potreros con pastos para criar ganado.

Por eso pensé que mi mamá si podía comprar la bicicleta pero que ella no quería. A esa edad no entendía que la familia tenía mas gastos, que no cubriría sola una mujer viuda con varios hijos y sin otro empleo.

Además hasta cuando llevaba cinco o seis años en la guerrilla, entendí que el campesino es quien recibe menos dinero en la cadena que se genera al comercializar los productos agrícolas, pues la mayor ganancia se la llevan los comerciantes. Son las extrañas leyes de la oferta y la demanda en este tipo de economía tan rudimentaria aún.

Mientras *la guisandera* preparó el almuerzo hablé del asunto con los tres visitantes.

Darwin aseguró:

-Edinson: su vida cambiará, porque el destino inicial será una *escuela de formación de combatientes revolucionarios*, donde dejará de ser *lumpen* y se fortalecerá como un hombre nuevo con ideales y razón de ser en la vida- es decir que de acuerdo con la visión de las farc, sería un hombre nuevo con ideales de cambio social y político.

De acuerdo con la costumbre campesina almorzamos sentados en el piso del corredor de la casa. Sin despedirnos de la *guisandera*, pues ella conocía todo el problema y desde luego estaba en desacuerdo conmigo y con la forma como maltraté a mi mamá, a las dos de la tarde partimos para donde los tres visitantes denominaron *la escuela revolucionaria*, pero para la verdad contada *a plata blanca*[3], la escuela del crimen.

La primera noche fuera de la casa, dormimos en una *mata de monte* en la vereda El Silencio, cerca de la alejada escuela pública rural de aquella aldea. Sin cama ni colchón dormí como un perro tirado en el piso. Los tres guerrilleros pasaron la noche en hamacas cubiertas con plásticos por encima. Antes de acostarnos me enseñaron a cortar y a acondicionar ramas de helechos que colocamos con cuidado debajo de una de las

---

[3] Relato sincero y veraz.

hamacas. Así dormí semi protegido por los plásticos y tapado con una cobija olorosa a sudor, para evitar los efectos invernales y el frío durante la noche, pero con el connatural temor que de pronto me picaba una culebra.

El 11 de diciembre llegamos a la pintoresca y perdida en el monte, residencia de Ofelia Matiz, una anciana campesina madre de otros tres guerrilleros. Después de desayunar continuamos la marcha. En un potrero donde paramos a descansar, Duvar extrajo del morral una copia del reglamento de las farc y con tono autoritario dijo más o menos lo siguiente, mientras lo golpeaba contra la mano izquierda:

- Al movimiento armado se ingresa por tiempo indefinido. Esto es para toda la vida. O lo matan o triunfa la revolución socialista-

A partir de ese momento visualicé que la cosa no era como la pintaron en Galilea. Duvar continuó la calculada lectura de los apartes del reglamento de las farc, explicados con estilo y tono campechanos pero amenazantes, en torno a lo que denominan *delitos de los combatientes* contra el movimiento revolucionario, para concluir la charla con estas frases:

-Edinson: ¡Olvide sus familiares y hermanos!, pues ya pertenece a las farc y aquí no se entra a probar o *a jugar con candela*[4]. Es a luchar para liberar a Colombia de los oligarcas. Detestamos los traidores, así es que si algún día escapa de la guerrilla, nosotros lo buscamos y lo matamos-

Comprendí de inmediato el terrible error que acababa de cometer. Recordé una a una las persuasivas frases de mi mamá, pero temeroso de lo que pudiera pasar, continué la marcha hacia el campamento guerrillero.

---

[4] Riesgo innecesario.

Con la seguridad de haber producido enorme impacto sicológico, Duvar continuó:

- Los *delitos* a los que se aplica la pena de muerte son *el sapeo* o espionaje a favor del *enemigo*, la colaboración voluntaria con el enemigo, matar a un compañero sin tener orden expresa de la dirección del frente en ese sentido, o robar la *economía* (remesa)-

Enseguida Duvar agregó que si por la *comisión de esos delitos* fuera necesario matar un familiar inclusive la propia madre, el guerrillero no debe dudarlo, porque así es la *moral revolucionaria.*

Con mecánicos monosílabos acepté el contenido del mensaje y respondí: Si....si...si -

- Bueno joven: a partir de hoy no será mas Edinson Torres. Su *seudónimo de guerra* será Johny López. Si no le gusta y después lo quiere cambiar tendrá que pedir permiso a los comandantes-aseveró Darwin.

Así de sencillo fui rebautizado por las farc que ni siquiera consultaron si estaba de acuerdo o no. Por la fuerza de la costumbre, tampoco tuve mayor preocupación posterior por cambiarlo. Inclusive en algunas actividades clandestinas realizadas en Neiva y Bogotá, porté documentos de identidad falsos con otros nombres.

Hasta las cinco de la tarde anduvimos por entre húmedas y enfangadas trochas construidas por campesinos. Llegamos a un campamento guerrillero vacío denominado *la caleta de los niños*, por que meses antes las farc incorporaron unos muchachos de mi edad que por razones de seguridad ya no estaban allí. Tal vez la cara de asombro que mostré, indujo a Marleny a reafirmar el mensaje de la sesgada bondad de la participación activa en la lucha armada:

- De acuerdo con el criterio colectivo, ingresar a las farc es algo positivo, con lo que el ser humano construye la historia de la *revolución de los pobres contra los ricos,* pero que desde luego trae muchas dificultades como cargar pesados morrales, trasnochar, etc.-

Luego Darwin hizo hincapié en que:

- *delitos* como la insubordinación contra los jefes, el robo y la traición al movimiento materializada en la deserción, *dan para fusilamiento del infractor-*

Paramos para cocinar y comer en razón a que los tres guerrilleros llevaban en los morrales arroz, pasta y fríjoles. Luego conseguimos más hojas de helecho y construimos rústicas camas protegidas con carpas denominadas *cambuches.* Intuí estar inmerso en un extraño ambiente de paranoia. Fue el comienzo de un abrupto y dramático cambio de vida, que supera los límites de lo increíble.

Antes de reiniciar la jornada de marcha sucedió un hecho jocoso. En horas de la mañana tomamos el baño de cuerpo en una quebrada. Marleny se desnudó en mi presencia. Disimulé no observarla pero de soslayo detallé su cuerpo de mujer adulta, pues a esa edad yo estaba en la pubertad y experimentaba cambios sicosomáticos propios del normal desarrollo masculino.

- No sea morboso jovencito. ¿Por qué mira con esa malicia? ¿Acaso no ha visto a su mamá o a sus hermanas *en bola*[5] ?....¡Es lo mismo!- gritó Marleny alterada.

Duvar y Darwin rieron para restar importancia al hecho.

A partir de aquel 12 de diciembre se incrementaron las dificultades. Desayunamos y luego empacamos el almuerzo en

---

[5] Desnudas.

bolsas plásticas. Esa es una táctica guerrillera utilizada durante los desplazamientos, que permite ganar tiempo y eludir la persecución de las tropas regulares, sin que los guerrilleros aguanten hambre en el camino y sin que dilaten la marcha por preparar los alimentos. Nadie habló mayor cosa durante el recorrido, mientras tanto yo recordé con insistencia la desnudez de Marleny y sus hermosas caderas, con la esperanza que al día siguiente se volviera a desnudar.

A las 12 del medio día paramos para almorzar. Sentí mucha tristeza de no tener la familia al lado. Todo era extraño. No acertaba en los intentos por descifrar el enigma. Íbamos en ascenso por una cordillera que a cada paso demandaba más fortaleza física. Estábamos cerca de El Dorado un pequeño caserío ubicado en límites entre los departamentos del Huila y el Meta.

Acampamos en un sitio llamado El Quebradón. Llegamos mojados, mejor dicho estábamos *llevados*. Pronto Duvar me entregó una hamaca que le suministró en el camino Efraín, un campesino auxiliador del frente guerrillero. Marleny me enseñó a guindar las hamacas sin dejar rastros en los árboles. Nos acostamos temprano con la intención de dormir, pero no pude conciliar el sueño.

Lloré largo rato al recordar la familia, las competencias de ciclismo, las novenas de aguinaldos, la cercanía de la navidad, el año nuevo, las fiestas populares en el huila, las idas a misa católica de todos los hermanos con mi mamá, además de los juegos con los compañeros de estudios en la escuela; pero por temor a las represalias que pudieran surgir, no manifesté ante ellos el deteriorado estado anímico. Sin duda ni el sitio, ni las personas, ni los actos correspondían a situaciones propias en la existencia de un preadolescente.

Deduje estar metido *en el infierno,* puesto que comprobé la dimensión de la advertencia de mi mamá. Pero otra vez equivocado, pensé que ya era tarde para echar pie atrás.

El 13 de diciembre madrugamos para continuar la dura jornada. La noche anterior dormí con la ropa seca, pero Duvar ordenó que volviera a utilizar la ropa húmeda para la *marcha guerrillera,* porque ese día llovería y de nuevo necesitaría la muda seca para dormir durante la noche. Así lo hice. Retomamos el ascenso por la fría cumbre. Pensé que enfermaría con la ropa mojada encima pero al rato el calor del cuerpo y el sudor se mezclaron con el desagradable olor característico del vestuario humedecido que ha estado guardado.

Cruzamos un sitio que los guerrilleros llaman *la línea,* para identificar la altura divisoria entre dos departamentos. El frío caló hasta los huesos. Ya no escuché el agradable ruido de los pajaritos, ni vi el bosque tropical, pues estaba al sur-occidente del Páramo del Sumapaz, donde solo se ven frailejones y extensos pastizales a más de 4.000 metros de altura sobre el nivel del mar. Son extensos parajes solitarios, por muchos años en poder de las farc debido a la ausencia del estado.

En el frío paramo me nombraron *ranchero de la comisión,* es decir encargado de preparar los alimentos en el fogón. Como nunca antes había cocinado, no fui capaz de encender la fogata. Darwin colaboró un poco, pero fue Marleny quien finiquitó la tarea. Sentí los dedos crispados por efecto del frío. Apenas pude dormir una hora en toda la noche.

Como mis acompañantes eran *antiguos,* palabra utilizada en todos los frentes de las farc para señalar a los guerrilleros con experiencia en el monte, hablaron aparte de mí. Amaneció el 14 de diciembre. Otra vez a vestir los *chiritos mojados* para iniciar un nuevo día de padecimientos físicos y emocionales.

Intenté exteriorizar los pensamientos a Duvar, pero el experimentado guerrillero se anticipó a los hechos y dijo:

- No se preocupe *chino*, que ya vamos a cruzar *la línea* y en pocas horas llegaremos al campamento donde el clima es mas agradable.-

Sentí algún alivio ante la información de Duvar, al saber de la cercanía con el campamento y la eventual mejoría del clima, pues pensé que en ese sitio encontraría gente de mi edad para conversar con ellos. Debido al frío y la incesante lluvia, no avanzamos mucho, tampoco hubo forma de cocinar, entonces no comimos nada.

Duvar antiguos que *armáramos la caleta* y durmiéramos uno contra otro para minimizar el frío. Por ser mujer Marleny se ubicó en medio de los dos adultos, pero yo tuve la desgracia de quedar en una de las orillas, razón por la cual pasé otra mala noche debido al intenso frío. Además que me privaron del deseo de estar cerca de una mujer.

Los tres guerrilleros hablaron hasta las diez de la noche como si yo no existiera en el lugar. Los temas de aquella charla me marcaron de por vida.

Duvar comentó:

- Oiga ese *pelado*[6] que *pelamos por sapo* el ocho de diciembre, estaba jugando al gato y al ratón con nosotros. Menos mal que a este *ingreso* que nos acompaña se le ocurrió que viniéramos el 10 a recogerlo.

- Lo bueno es que *el tipo muñequiado* vino a la casa para la fiesta del 8 y ni sospechó que le tuviéramos cacería. Lo malo fue que para *cascarlo* tuvimos que ir hasta Potrero Grande al

---

[6] muchacho

oriente, para luego regresar a recoger a este *mancito*. Yo no quería ahorcar al *cliente de la fiesta*, pues me gusta mas *tirotear los sapos*. Pero lo ahorqué para evitar que los moradores de la vivienda escucharan los ruidos que producen los disparos hechos con un arma de fuego- agregó Darwin

Sentí pavor cuando Marleny recordó que: Lo feo de esto fue que al muerto le quedó la lengua afuera, y a pesar que uno se acostumbra a estas cosas, me impresionó cuando Duvar se la cortó con un cuchillo.

-Ahora no nos va a resultar remilgada o escrupulosa- interpeló Darwin con acentuado mal humor.

- No, no, no... lo que pasa es que yo tengo una hija con el *camarada* Edilberto. La bautizamos Mary Luz. Ya va a cumplir cuatro años. No me gustaría que le pasara eso. Preferiría que fuera una puta- contestó Marleny

Para calmar los ánimos Duvar inquirió:

-Y ¿qué?.... ¿Será que nuestro *ingreso* no escuchó la conversación?-

Aparenté estar profundamente dormido.

Marleny se apresuró a contestar:

- Noooo.... Ya está dormido. Parece muy desmoralizado el *pobre huevón*. Ese *chino* como que no va a servir para esto, pues es como muy mimado. Tal vez era el consentido de la mamá, pero todos sabemos que con el *camarada* Alonso *se amaña* a las buenas o las malas-

Sentí terror y balbuceé mentalmente: Estoy donde no debiera. Quizás estoy metido *en el infierno*-.

Creyeron que dormía, por lo tanto continuaron la charla acerca de cosas que narraban como si fueran hazañas de guerra. Poco a poco se quedaron dormidos. Ninguno prestó de centinela.

Tuve la oportunidad de escapar pero fui incapaz de hacerlo, por temor a que mataran a mi mamá.

Mil ideas dieron vueltas por mi cabeza. Recordé las vacas y los caballos de la finca, pues en el campo cada animal se bautiza como se hace con las personas. Recordé las competencias de ciclismo y la cama dejada en casa, que por pobre que fuera, siempre sería mejor que el *cambuche*[7] donde dormí aquella noche. Inclusive recordé muchísimo la famosa canción colombiana de las *noches plateñas*[8], cantada a dúo por Garzón y Collazos, para significar la belleza del paisaje colombiano nocturno colmado de estrellas en el firmamento.

Eché de menos las tres comidas diarias, la lavada de la ropa. Comparé el relato que acaba de escuchar con lo que podrían ser los años venideros y deduje que de niño soñador en ser ciclista ya estaba convertido en un criminal en potencia. Inclusive experimenté un extraño sentimiento de culpabilidad guerrillera, que supongo es el mismo que padecen todas las personas que están fuera de la ley o que deben cuentas a la justicia.

Quizás el lejano recuerdo del asesinato de mi papá a manos de matones conservadores por el pecado de ser liberal, dio fuerza a la subconsciente invitación para integrar un grupo rebelde armado, que vengaría la muerte *del viejo*, aunque confieso no supe contra quien lo haría, como tampoco lo entendí durante tantas acciones armadas en las que participé.

El 15 de diciembre vestimos otra vez los *trapos mojados* para continuar la marcha. Duvar dijo que más o menos a las dos de la tarde terminaríamos de cruzar el páramo e iniciaríamos el descenso. *Cambuchamos* a las 4:30 de la tarde, con la advertencia que al día siguiente llegaríamos al campamento.

---

[7] Dormitorio transitorio de un guerrillero.
[8] Refiere el municipio La Plata del departamento del Huila

En este sitio se reunieron conmigo los tres guerrilleros alrededor del fogón, para hablar y recibir el calor de la Fogata.

Era una casucha miserable enclavada en la mitad de la selva, en la que residían Rigoberto y Pánfila, dos ancianos que no tenían ni sobre que caer muertos, pero que por la actitud que asumieron a nuestra llegada, demostraron simpatías con los *muchachos* término con que los campesinos denominan a la gente de las farc. Preparamos la comida y compartimos con los dos viejecitos. Luego nos acostamos a dormir en el corredor de la casa. Fue el primer *confort* que encontré desde cuando salí de la finca en Galilea. Tampoco hubo centinelas.

El 16 de diciembre desayunamos temprano. Cuando íbamos en marcha Marleny aseveró que pronto llegaríamos al *campamento*. Ya que no tenía la menor idea acerca de cómo sería eso, por ende, hice todo tipo de suposiciones. Imaginé muchas personas jóvenes reunidas en una especie de cuartel clandestino, a la vez que cavilé:

- ¿Serán robots?, ¿quiénes serán los que están allá?, ¿habrá alguna persona conocida en la guerrilla?, ¿cómo será la personalidad y la figura física de Alonso?, ¿serán mas matones que estos que van conmigo y ya lo confesaron?...

Hubo una fuerza extraña que impulsó los instintos para seguir hacia el campamento para verificar con los propios ojos y saciar la curiosidad. Al fin y al cabo en los pueblos del Huila durante aquella época aún se hablaba mucho de los estragos de la violencia partidista entre liberales y conservadores, sucedida durante los años cincuenta y sesenta, de la que también fue víctima mi familia.

Además pensé en que ya no sentiría frío y por ende dormiría mejor. Almorzamos a las 12:00 del medio día y continuamos la fatigante caminata. Ya la muda de ropa enfangada se había secado con el calor del cuerpo y el cambio de temperatura en el descenso.

A las dos de la tarde nos encontramos con un grupo de guerrilleros. Darwin explicó que esa era la *avanzada*. Subimos hasta la cima de un pequeño cerro. Allí había dos hombres vestidos con uniformes de color verde oliva de los que usa la policía nacional, acompañados por una niña de trece años de edad recién incorporada la guerrilla.

Los guerrilleros eran Carlos quien tenía un fusil, Henry dotado con una carabina y Liliana con una pistola. Traspasado esta especie de retén subrepticio, caminamos 20 minutos más y encontramos el campamento donde vi varios muchachos recién traídos de otros municipios del Huila y el Tolima, así como de San Juan del Sumapaz y de Cabrera Cundinamarca. Con los sentidos aguzados por la novedad detallé puentecitos de madera, plásticos de color negro, carpas bien templadas, empalizadas y trochas bien construidas, debajo de la espesa vegetación que desde luego impedía la visibilidad aérea.

A la entrada al *campamento guerrillero* sobrepasamos al *posta* o centinela, un muchacho de mi edad a quien le decían Ferney, con el que años mas tarde participé en diversas acciones armadas. Pasamos frente a la cocina que denominan *rancho o casino*. Mis acompañantes saludaron con gran camaradería a los *rancheros*. Uno de ellos era apodado *Tula* quien después estuvo conmigo en varias *emboscadas y ajusticiamientos*[9]. También estaba allí Víctor Mayorga mas conocido con el apodo el *gocho Alexander*. Le decíamos así por que perdió una oreja por la *picadura del pito*[10].

---

[9] Asesinatos.
[10] Leishmaniasis.

- Esperen aquí mientras voy a hablar con los *camaradas* Edilberto y Alonso- manifestó Duvar.

- ¿Que hubo *compañero*?- preguntaron varios guerrilleros

- Muy bien amigos- contesté tímido y asombrado.

Me ofrecieron tinto en una olla pequeña. Se acercó una muchacha y dijo con la incondicional amabilidad de nuestros campesinos:

- Soy Aurora. Estoy para colaborar en lo que necesite-

- Muchas gracias- contesté

Guiado por Duvar seguí por una trochita hasta hallar una *caleta* bien construida, con varas delgadas y firmes. Adentro estaban Edilberto, Alonso y Rosario la compañera de Alonso. Ahí evidencié que aunque Marleny tenía un hija con Edilberto, ya no convivía con el.

El saludo de bienvenida fue más o menos:

- ¡Hola compañero!-.

- Buenas tardes señores- contesté

- La palabra señores se utiliza en la *vida civil* y ya debe olvidarlo- corrigió de inmediato Rosario quien prosiguió- la apropiada es *camaradas*-

Meses después aclaré que el vocablo *camarada* propio de los sistemas leninistas como el de las farc, es utilizado por los guerrilleros de base para hablar con los jefes y en ocasiones por deferencia de estos hacia sus subalternos.

Con marcado acento antioqueño complementado por la perversa mirada, Alonso dijo:

-¡Vos vas a ser uno de nuestros *combatientes*!. Para eso ingresaste a las farc. ¿Si te explicaron ya como es la movida aquí?-

- Si, *camarada*- contesté tímido y extrañado por utilizar esa palabra tan novedosa en mi vocabulario.

- Nelson: ¡venga hasta aquí!- ordenó Rosario por el radio.

Casi de inmediato apareció frente a la *caleta* un hombre joven de más o menos 26 años de edad, delgado y de ágil caminar.

- Lleve a Johny con usted. *Anéxelo*[11] a su escuadra. Dele instrucciones para que se bañe, consígale un uniforme, dele otra *charlada*, para que mañana ingrese al curso de orden cerrado con los *nuevos*- ordenó Alonso.

En el boscoso riachuelo aledaño al campamento lavé la camisa a cuadros y el pantalón blanco que llevaba puestos, pero como nunca antes había realizado dicha labor, las prendas quedaron sucias, con el consecuente llamado de atención por parte de Nelson por malgastar el jabón y no cuidar los elementos que ya hacían parte del *patrimonio de la revolución*. La verdad fue que nunca mas volví a utilizar esa ropa, porque al día siguiente la recogieron y la guardaron en una *caleta*.

Al rato sonó un silbato. Era el llamado para hacer la fila y pasar a recibir los alimentos de la noche. Aldemar me *dio caleta* es decir me dejó dormir en su *cambuche*, a la vez que me entregó una olla pequeña para que recibiera la comida diaria. Media hora después escuché otro pitazo. Era la orden interna para pasar a la hora cultural. El evento fue una charla de adoctrinamiento político, o mejor dicho de *lavado cerebral* para todos los guerrilleros, antiguos y nuevos, por parejo.

Los expositores hablaron de los estatutos de las farc, de lo que denominan *normas de régimen disciplinario* y de todos los reglamentos que en ese tiempo ya manejaba la organización. Quien mas habló fue Neyder un hombre con educación superior,

---

[11] Término interno de las farc que equivale a decir *agréguelo* o *incorpórelo*.

que estuvo en Cuba y Rusia, enviado por las farc para recibir sendos cursos que le permitieran enriquecer la línea ideológica de los *combatientes farianos.*

Edilberto explicó que la levantada diaria en el campamento sería silenciosa a las 4 y 50 minutos de la madrugada, que luego vendría el atrincheramiento de cinco a seis para evitar la sorpresa de cualquier ataque del Ejército, que tendríamos media hora para ingerir el desayuno y lavar los utensilios, luego otra media hora hacer aseo del campamento hasta las siete de la mañana, preparación militar hasta las once y de ahí en adelante trabajos administrativos de acondicionamiento de la seguridad del campamento, guiados por los guerrilleros antiguos, hasta que llegara la orden de pasar a recibir la comida y luego la hora cultural antes de pasar al reposo.

El 17 de diciembre de 1981, amanecí por primera vez dentro de un fortín guerrillero. Empacamos todo el equipo. Hice una pequeña *tulita*[12] con las escasas pertenencias, pues todavía no había elaborado mi propio morral con lona verde, como debía hacer todo guerrillero en aquella época. Guiado por Aldemar nos atrincheramos detrás de un árbol, donde revoloteaba un zancudero bárbaro. No ocurrió ninguna novedad, pero yo estaba muerto de susto con solo imaginar o suponer que el Ejército estuviera por allí.

El desayuno fue chocolate y sopa preparada con caldo de gallina Maggi y *cancharinas* o sea unas *arepuelas fritas* hechas con harina de trigo. Durante el periodo previsto para el aseo del campamento aprendí que a las letrinas les dicen *chontas,* y que la filosofía del aseo en las farc, combina la seguridad de no dejar rastros, con la higiene personal para evitar epidemias.

---

[12] Maleta.

A las siete de la mañana formamos una fila los guerrilleros nuevos para iniciar a recibir la instrucción militar. Alfredo que hizo las voces de profesor de la materia, colocó frente a nosotros a Gildardo para que sirviera de modelo en la ejecución de las voces de mando tales como: *Atención.... ¡Fir!*, en clara imitación a los ejercicios de orden cerrado que hacen los soldados en los cuarteles. Fueron tres horas seguidas de actividades y formaciones militares, con descansos cada cincuenta minutos.

Desde aquel primer contacto con la vida guerrillera en el monte, tuve la duda porqué las farc despotrican tanto de los militares, pero a la vez dentro de los campamentos viven un ambiente de militarismo estalinista, e inclusive hablan de los trabajos políticos y las acciones militares.

Llegó el momento de conocer el pensamiento y las acciones de Alonso el temido jefe. Fue la primera charla dura y formal acerca del *conocimiento de los reglamentos internos de las farc*. Alonso se colocó de pie frente al grupo, tomó la carabina y la *cargó*, es decir maniobró la palanca hacia atrás para introducir un cartucho en la recámara del arma que quedó lista para efectuar un disparo.

Era su costumbre para amedrentar el auditorio o quizás para esconder la probable limitación espiritual mediante acciones intimidatorias. Que iba yo a imaginar en ese momento que por imitar a aquel bárbaro y que pese al grave riesgo que se corre de cometer un accidente, mantener *cargada* la pistola me salvaría la vida más de una vez.

El tema de la charla dirigida a los 14 guerrilleros nuevos, fue la gravedad *de la traición* al movimiento:

- No les digo mentiras compañeros, hay cinco *nuevitos* de los que fueron instruidos en *la caleta de los niños*, pendientes por pasar por un *consejo de guerra revolucionario*. Todos por cometer *delitos* de **traición al movimiento** con la deserción. Quiero avisarles para que mañana cuando los vean no se vayan a asustar, ni que mas adelante caigan en el mismo error. Por esta razón, no habrá entrenamiento militar, porque tendremos los *consejos de guerra* y si se puede pasado mañana haremos otros dos, pues sabemos que se viene una situación de guerra y en esas condiciones los *consejos de guerra* normalmente se resuelven con el *ajusticiamiento*. Esto para que le vayan preguntando a los antiguos como es *la vaina* aquí en las farc y se preparen-

Terminada la intimidante charla pasamos al almuerzo: arroz, agua de panela y plátano verde cocido. Ninguna proteína. Volví a extrañar la comida de la casa. Las incisivas frases de Alonso revolotearon por mi cerebro. Todos los catorce imberbes estábamos muy temerosos, pues no sabíamos quienes serían las víctimas. Acudimos a guerrilleros antiguos para que nos explicaran el significado de las palabras *consejo de guerra revolucionario y ajusticiamiento*.

Rosario absolvió las dudas con franqueza. Sin inmutarse contó:

- Un consejo de guerra es un juicio popular y colectivo del frente guerrillero a quien ha cometido *delitos de primera y segunda instancia* contra las normas de las farc. En la parte mas boscosa del campamento están amarrados cinco *pelaos* de su edad, que lo mas seguro serán fusilados, por cometer delitos contra el reglamento *fariano* -

En ese momento un escalofrío de temor que aún perdura en mi ser, se apoderó de todos nosotros.

A las nueve de la mañana del 18 de diciembre, comenzó el *consejo de guerra*. Sentados en bancas de madera dentro de una rústica aula construida con troncos cortados con motosierra y entejada con plástico o palmichas, vimos entrar amarrados y esposados a tres jóvenes cuyas edades oscilarían entre los 12 y 14 años.

Primero habló Edilberto para argumentar:

- El *consejo de guerra* se realiza porque los detenidos traicionaron el movimiento revolucionario, desde el mismo momento que desertaron de las farc. En este orden de ideas todo desertor es un traidor y como tal debe ser fusilado. Deseo que todos los aquí presentes en audiencia de *justicia popular revolucionaria armada*, estén de acuerdo con el *fusilamiento* de estos traidores, porque repito la muerte es el único castigo posible para quien traiciona la guerrilla. Nuestra causa es de vida o muerte-

Vino el nombramiento del *presidente del consejo de guerra* y del acusador escogidos entre los miembros de la *dirección del frente*. Luego seleccionaron los miembros del jurado de conciencia entre los *guerrilleros de base*, quienes también nombraron al defensor.

La exposición de Edilberto fue categórica, por que no hizo ninguna sugerencia, sencillamente dio la orden para que todos los guerrilleros presentes en ese lugar votáramos para aprobar el *fusilamiento* de los acusados. Desde ese día entendí que en situaciones similares, lo más usual es que todos los guerrilleros escogen el camino indicado por el jefe. Es norma de comportamiento enseñada por los más antiguos. Si se aspira vivir unos años mas, claro está, si por desgracia no cae herido o muerto en combate. En eso coincido con Edilberto: Los asuntos de la guerrilla son de vida o muerte.

Alonso fue escogido como acusador en representación de los jefes del grupo. Imbuido por la inusitada autoridad repentina, con paciente parsimonia Alonso leyó los cargos y enfatizó las infracciones al reglamento *fariano*. Era el segundo comandante del frente 17, empeñado en la tarea de ratificar la orden de asesinar los acusados.

Luego *el defensor* completó la dantesca obra de teatro, pues con la rudeza propia de un campesino iletrado con escasa habilidad retórica, expuso débiles argumentos para tratar de salvarlos del inminente sacrificio decidido y aprobado con razones cuasi aceptadas por un consenso preexistente. Por físico temor de ser los próximos enjuiciados en la misma aula, los guerrilleros nuevos levantamos la mano derecha para aprobar el *fusilamiento* de los sindicados. Estábamos en la sin salida.

A las cuatro de la tarde finalizó el *consejo de guerra* y hasta esa hora fuimos a almorzar. Con un lazo atado al cuello las víctimas fueron llevadas a recibir los alimentos La soga tenía un nudo corredizo, para ahorcarlos si intentaban escapar. Nelson y John Freddy, fueron los *dos guardias* que permanecieron detrás listos para accionar las armas con sevicia contra los indefensos, en caso que fallaran los nudos.

Fue la primera vez que vi guerrilleros utilizar lazos para amarrar secuestrados o futuros muertos, acción que se repite con mucha frecuencia y que inclusive después la viví en carne propia. Lo aterrador es que quienes cuidan a los sindicados son drásticos en la vigilancia de las víctimas, sin entender que ellos pueden ser los próximos, como lo vi en casos posteriores. Así de contradictoria es la vida en los campamentos de las farc.

Terrible e indescriptible. Los muchachos amarrados no probaron bocado alguno. Sus miradas eran tristes y vagas. Parecían inocentes corderitos rumbo al degolladero. Se sentían culpables de algo que quizás no comprendieron en la errónea dimensión del asunto. Me enteré que todos eran naturales de Vegalarga Huila y sentí mas tristeza porque por esos lados vivían unos familiares de mi mamá, entonces no podría descartar que de pronto ellos fueran parte de ese árbol genealógico. No fui capaz de almorzar, debido al asco, la repugnancia y el desconcierto.

Se reunió *el jurado de conciencia*. La tensión reinaba en todo el grupo hasta que a las cuatro y media de la tarde Alonso leyó el veredicto:

-¡Deben ser fusilados!-

Los enloquecedores gritos de Pedro el menor de los sindicados estremecieron las honduras de mi alma:

- ¡Mamá, mamá, mamacita!, ¡sálveme de esta!..... ¡No me maten!, ¡no me maten!, se los ruego. ¡Por mi madre, no me maten! -

Los otros dos *sentenciados a muerte* permanecieron callados con los ojos llorosos. Los demás guerrilleros presenciamos aterrados el estremecedor y macabro espectáculo. Esa misma tarde la tercera escuadra al mando de Albeiro los llevó para una *mata de monte* cercana al campamento, donde fueron ahorcados. No les dispararon con el ya revelado argumento, de evitar que el Ejército pudiera detectarnos por el ruido que causan las armas de fuego.

Comimos muy poco esa noche, debido a la horripilante impresión.

- Estoy asustado- comenté a Arnulfo otro de los guerrilleros nuevos.

- Yo también, pero lo mejor es aparentar tranquilidad porque mañana matarán mas guerrilleros, y lo mejor es que no nos *cojan entre ojos*[13] desde el primer día- respondió el interlocutor mientras lavaba los cubiertos en el arroyo.

---

[13] Ojeriza, prevención infundada.

Después de la consabida hora cultural y de la última formación del día, o sea antes de acostarnos a dormir, Edilberto reunió la *guerrillerada* disponible en el campamento y dijo:

- Lo de hoy se hizo para mantener en alto la *moral revolucionaria*. Es importante eliminar *los infiltrados*, pues todos los *ajusticiados* fueron enviados por el enemigo para sacar información de nosotros y tan pronto la obtuvieron escaparon para delatarnos. Eso es muy grave y peligroso para la integridad de los que estamos aquí-

Sabíamos que tal explicación era falsa puesto que Edilberto, el temido jefe, mintió para justificar la morbosa sed de sangre que lo caracteriza.

Seguro de imponer los argumentos por medio de la intimidación, Edilberto agregó:

- Es inminente una *situación de guerra*, pues el enemigo se aproxima hacia acá. Mañana realizaremos más *consejos de guerra* contra otros desertores capturados que además por ahí tienen otras *falticas*[14] acumuladas. Espero que lo sucedido sirva de ejemplo para *los nuevos*, para que no vayan a cometer los mismos errores-

Entre las 10 y las 12 de esa noche estuve de *posta* sobre el mismo camino que en horas de la tarde llevaron los sentenciados para ahorcarlos. Fue tal mi temor que cerré los ojos y vi las mudas de ropa de los *ajusticiados* traídas de regreso por la escuadra de Albeiro, con el argumento que *en las farc no se desperdicia ni el vestuario de los muertos*. En esa época a todo asesinado lo desnudaban antes de cometer el crimen. Luego se lavaban las prendas que entregaban a otro guerrillero para que las siguiera utilizando.

---

[14] Diminutivo de faltas o errores.

No concilié el sueño en toda la noche. Yo había sido muy perezoso para levantarme temprano, pero ante lo que acababa de ver y escuchar en los cargos contra los difuntos, aprendí a madrugar por fuerza del miedo. A las siete y media de la mañana del 19 de diciembre de 1981 inició el *consejo de guerra*, dentro del esquema metodológico del día anterior.

Esta vez los acusados fueron Olguita una muchacha de 13 años y Walter un joven como *abobadito* de 15, de quien los demás guerrilleros decían en tono burlesco:

- Este bobo habla sin pedirle permiso a la cabeza-.

Aunque parezca increíble, así fue. Desde cuando lo vi y escuché las incongruencias que decía, deduje que Walter era un retardado mental, por lo tanto me pareció un espantoso crimen el solo hecho de juzgarle. Ese muchacho no tenía los cinco sentidos en su lugar. Lo cierto es que la valoración de la vida humana es muy pobre en la guerrilla. Para Alonso y Edilberto, Walter *el abobadito*, era una ficha de su ajedrez, cuya muerte contribuía a darles fama de buenos *cuadros revolucionarios* a nivel del secretariado de las farc.

Al joven campesino lo acusaron de ser infiltrado, porque en alguna ocasión, atribulado por una profunda depresión, Walter afirmó:

- Tengo ganas de escapar de la guerrilla, como estoy seguro lo piensan mas de una vez todos los hombres y mujeres que militan en las farc-

Otras veces dijo que deseaba tender una trampa a los guerrilleros, trayendo a *los chulos*, mote utilizado por las farc para denominar a los soldados

Olguita fue acusada de deserción y de fornicar con los guerrilleros en los puestos de vigilancia, para distraerlos y permitir la sorpresiva entrada del Ejército. Estoy seguro que eran suposiciones, chismes y rumores infundados, propios de las envidias de otras guerrilleras y de los comentarios nocivos de algunos compañeros con quienes la sindicada no había querido hacer el amor. El resultado del juicio se conocía de antemano: *¡Ajusticiarlos!*

- Nelson: ¡Aliste su escuadra para el ajusticiamiento! ¡Lleve tres de los *nuevitos* para que vayan aprendiendo como es la *movida!*- ordenó Alonso

Llegamos al lugar previsto por *el comandante*. Desnudamos completamente a la jovencita, quien ante la cercanía de la muerte sobrevino en una desesperada crisis nerviosa que materializó con la expulsión de abundante diarrea. Además como estaba con el periodo menstrual, la sangre que salía de su vagina corrió por las piernas de la víctima, para hacer mas asqueante el momento.

Alonso dirigió el siniestro acto de sadismo con impresionante frialdad.

- Johny y Ferney: Ajusten bien las sogas al cuello de esta *maldita perra*, pero tengan en cuenta que cuando vayan a ahorcar a alguien deben colocar el lazo por encima de la manzana de Adán para que no le salga lengua cuando muera. Mientras Leoni la tiene cogida de *las mechas*, caminen hacia los lados con la soga y *a mi orden* cada uno *jala* con fuerza-

Recordé el relato de Duvar y Marleny en el *cambuche* transitorio de la fría noche invernal. No quise mirar la víctima. Después Ferney dijo que el procedió igual y Leoni aseguró que el cerró los ojos para no ver nada mientras sujetaba la cabellera de la desdichada joven.

- A la una..... a las dos.... y..... ¡a las tres! – gritó Alonso

Tiramos con nerviosa fuerza. Escuché el desgarrador sonido gutural de la muchacha. Por instinto aflojé el extremo del lazo, para que el pesado cuerpo sin vida cayera contra el tronco de un árbol, pues Leoni soltó el cabello de la joven y asqueado vomitó en el mismo lugar.

Con la vista fija en el cadáver desnudo y sin inmutarse, Alonso agregó:

- Los traje para que vayan aprendiendo a perder el miedo, porque si uno está aquí en la revolución y la mamá *la embarra* también hay que matarla-

Ferney, Leoni y yo estábamos temblorosos, pues fue la primera vez que matamos a alguien. Acto seguido teníamos que matar a Walter el *bobito*, quien atado a un árbol, aterrorizado observó la muerte de la niña. Durante el consejo de guerra supe que Walter era natural de la vereda Patios en Baraya Huila y eso me preocupó muchísimo pues de pronto también pudiera ser alguien familiar de mi difunto padre.

Ante la inminencia de la muerte el sentenciado sudó copiosamente. A pesar de estar amarrado y con la soga puesta al cuello luchó por sobrevivir en medio de un impresionante forcejeo.

Intervino Alonso:

-¿Qué pasa cuñados? ...¿Es que no tienen fuerza?...¡Aprieten!...¡Aprieten!..

Apretamos con mucha fuerza. Walter murió. Alonso tomó un cuchillo y cortó el brazo derecho del cadáver que aún pendía de las sogas. Como todavía el cuerpo estaba caliente, manó abundante sangre de la herida.

- Tomen sangre del muerto para que vayan aprendiendo a matar cristianos como lo hice yo cuando era *joven y bello*-vociferó Alonso, mientras de sus ojos destellaba un brillo diabólico.

El único que tomó sangre de la víctima fui yo. A los demás les aplazó la experiencia para otro *consejo de guerra*, en especial con Leoni que seguía con las *tripas rebotadas*[15]. Cada vez que recuerdo aquella experiencia imagino que en ese lugar practiqué un acto de hechicería o magia negra que sigo sin entender. Algo así como el sello de un pacto con el diablo, pues ya estaba *en el infierno*.

Curiosamente comí arroz y plátano verde a la hora de la cena, aunque por la noche desperté varias veces con continuas pesadillas en las que ví a *satanás en el infierno,* a un cura, o mejor a un tipo que le decían *el cura* convirtiéndose en diablo, y millones de lengüetas de fuego que ardían calurosas llamas eternas. El 20 de diciembre amanecí con dolor de cabeza, pero con el deseo y la extraña inclinación de matar más seres humanos, como si quisiera materializar una extraña venganza contra todo el mundo.

El ansia de cometer homicidios me hizo sentir un guerrillero ejemplar, extraña sensación que a larga sirvió de macabra *cualidad revolucionaria,* para la confianza que después depositaron en mí, los comandantes de los frentes guerrilleros con que anduve por las montañas y selvas huilenses, metenses, tolimenses y cundinamarquesas.

Transcurrieron cuatro días más en *trabajos de campamento*, mientras que los guerrilleros nuevos seguimos inmersos en el desarrollo del curso de formación militar. En ocasiones me *englobé*[16] y pensé que el muerto vendría a reclamar la sangre. El 22 de diciembre Alonso y Edilberto repitieron que cuando la guerrilla mata a alguien hay que *pincharlo*, o sea abrirle el vientre

---

[15] Naúseas.
[16] Desinhibirse.

para que el cadáver no estalle. De lo contrario la tierra donde se deposita el muerto, se levanta y el Ejército puede encontrar el entierro.

Esa misma noche Edilberto ordenó reunión general de todo el personal disponible en el lugar. John Freddy el guerrillero tolimense, taciturno y con pinta de indio coyaimuno[17], formaba en la tercera escuadra bajo el mando de Albeiro. Yo sabía que John Freddy fue quien ahorcó los enjuiciados del primer día e inclusive recordé la arrogancia con que cuidaba a los tres detenidos. Apoyados con la luz de una linterna, Duvar por detrás de los guerrilleros de cada fila y Misael por delante, revisaron las armas de cada combatiente.

Como yo hacía parte de la cuarta escuadra observé cuando comenzaron la revisión de la gente de la tercera línea. De repente Duvar apuntó su fusil contra la espalda de John Freddy y gritó:

- Suelte la carabina y tiéndase en el piso gran *hijo de puta*. Queda detenido, porque va para *conséjo de guerra*. De inmediato, Misael, Norvey y Rosario apuntaron las armas contra John, pisaron su cuerpo y lo amarraron de la misma forma que el hiciera días antes con Walter y Pedro. Así paga el diablo a quine bien le sirve.

Fue tanta la sorpresa que creí haber recibido esa tenebrosa orden. Pensé que esa noche también me iban a amarrar como hicieron con John Freddy. Tiempo después algunos de los *nuevos* comentaron haber tenido similar presentimiento.

Todos los asesinatos fueron reportados a Manuel Marulanda, quién respaldó la *purga* para bien del *quehacer revolucionario*. John Freddy fue llevado ante los miembros de la *dirección del frente*, quienes aparentaron imparcialidad al disponer que el día

---

[17] Perteneciente a la etnia Coyaima.

siguiente se realizara el *consejo de guerra*, como en efecto ocurrió a las seis y media de la mañana del 23 de diciembre de 1981.

El consenso general era que para sobrevivir había que condenar a quien se juzgara, pues al finalizar la sesión el veredicto de culpabilidad sería inevitable e inmodificable. Intenté demostrar férrea lealtad a las farc y con la certeza que al proceder así superviviría mas tiempo, estimulado por la reciente experiencia fui hasta la caleta de Alonso para pedirle:

- *Camarada*, yo quería decirle que si puedo *pelar* a ese *man*-

El experimentado homicida sonrió con sorna diabólica y respondió:

- Oiga *cuñado*, usted como que nos va resultar bueno para *dar gatillo*. Hoy toma otro poquito de sangre. Yo mismo le doy. Además aprenderá otra forma de *pelar cristianos*[18], diferente al *ahorcamiento*-

Ya en el sitio del crimen Alonso ordenó:

- Quítenle la ropa *al paciente* y colóquenlo boca abajo contra el piso-

Por la frente de John Freddy corrió sudor frío, pero no habló. Sin perder la cordura Alonso colocó la filuda e inseparable puñaleta sobre el omoplato izquierdo de la víctima, viró la cabeza hacia los lados y fijó la penetrante mirada en mis ojos, para ordenar.

- Johny: Golpée fuerte con la mano abierta sobre la cacha del cuchillo-

Levanté la mano para propinar el golpe. Vi el rictus acobardado de John Freddy a la espera del impacto. Apreté los

---

18 Matar seres humanos.

labios, cerré los ojos y descargué la mano con fuerza contra el puñal, que penetró a gran velocidad dentro del cuerpo de la víctima, quien se paralizó casi de inmediato porque el cuchillo le punzó el corazón. Alonso cortó la vena aorta del muerto recogió sangre en sus manos y me la pasó para que bebiera. Y así lo hice.

Abrimos un pequeño hueco en la tierra, para enterrar al muerto. Al principio no entendí porque el escaso tamaño del foso, pero despejé la duda cuando Alonso descuartizó el cadáver y lo enterró por partes con la misma naturalidad que si estuviera despresando una res. Luego tapamos los restos con tierra y hojas secas como si no hubiera pasado nada, fuimos a la quebrada para limpiar el puñal y remover los vestigios de sangre de nuestros vestidos. Hice varios gargarismos con el agua, para sacar los residuos de sangre humana de la boca y de las comisuras de los labios.

Cuando finalizó el curso de capacitación militar Alonso y Edilberto manifestaron que debería estar orgulloso porque como reconocimiento a las capacidades de *combatiente*, fue que ellos permitieron que ejecutara a esas personas, e inclusive me elogiaron con los adjetivos, *despierto, inquieto y activo.*

Permanecimos un mes mas en el mismo campamento. Todos los días recibimos extensas charlas de fundamentación política marxista-leninista y desde luego más entrenamiento militar. Nos hablaron de los principios rectores de la *revolución proletaria*, del nexo clandestino del partido comunista colombiano con las farc, de algunas diferencias internas que para la época parecían irreconciliables entre los comunistas legales y los guerrilleros, pero insistieron en que sería necesario mejorar las relaciones pues *los camaradas* de la ciudad eran nuestra vanguardia estratégica, en especial por el impulso que ellos dan a la lucha política amplia para que la revolución triunfe algún día.

Fueron muchas charlas aclaratorias reforzadas con dibujos, diagramas, ejemplos, dramatizaciones, para que aprendiéramos a *proteger al campesinado* pero en especial a los miembros del partido, por ser ellos quienes estaban mas cerca de los guerrilleros proporcionando asistencia logística y materiales de estudio para perfeccionar nuestra formación política y nuestra capacitación revolucionaria. Reconozco que a veces las charlas fueron aburridoras e incomprensibles, pues los instructores hablaron como *loros mojados* y repitieron cientos de frases como si tuvieran un cassette puesto en la cabeza.

Trasladados a la vereda Laureles de Baraya (Huila), iniciamos los planes de *limpieza y ajusticiamiento de campesinos sapos*, que no estuvieran de acuerdo con las farc o que no pertenecieran al partido. En medio de este ambiente tuve conocimiento que la verdadera causa de la muerte de John Freddy no fue por ser traidor, sino porque durante un servicio de *posta* robó una lata de sardinas del morral de Alonso, quien intercedió de todas las formas posibles ante los miembros de la dirección del frente, para que se aplicara la pena de muerte al culpable.

Cavilé mucho que a la hora de aplicarle la *justicia revolucionaria* no tuvieron en cuenta la lealtad que este demostró en la comisión de los asesinatos anteriores. Hasta pensé que primero lo obligaron a asesinar y luego lo mataron para que no hubiera quien los delatara.

En esos días llevaron hasta el campamento a Rogelio, Regimberto y Tobías Arango, tres hermanos campesinos secuestrados por orden de Edilberto, señalados de manifestar en público en una tienda de Algeciras (Huila), que votarían por el candidato liberal a la presidencia en 1982 y no por el que el del partido comunista y las farc promocionaban en la región.

Los tres fueron asesinados para limpiar la región de los *enemigos de la revolución.* Como es de suponer fui escogido para matar a uno de los tres sindicados.

De tanto escuchar conferencias y charlas acerca de la economía marxista y de concientización política leninista, descubrí que estar en la guerrilla significa vivir bajo la presión y la zozobra permanentes, en un mundo en el que todos desconfían de todos. Universo minúsculo en el que la única manera de sobrevivir es confabularse con las atrocidades programadas por la dirección del frente; no contradecir las órdenes por absurdas que sean; demostrar irrestricta lealtad al movimiento armado y al partido político que apoya desde la clandestinidad la subversión. No es fácil describir vivencias y percepciones de un joven con trece años de edad, enlodado en medio de un pantano lleno de acciones criminales.

Durante el mes de febrero de 1982 creció la oleada de mutua desconfianza generalizada, porque la influencia personal de Edilberto y Alonso hizo que el fantasma de la traición rondara por todas partes. La vigilancia recíproca buscaba traidores inexistentes. Un día Alonso ordenó que saliera con Wilmer, Andrea y él, para hacer un *buen trabajito,* en el área rural de Baraya Huila. La misión: matar una señora llamada Graciela al igual que a sus hijos Chepe y Salomón, señalados por los integrantes del partido, como *informantes del Ejército.* En cierta forma experimenté alivio, porque estaría un poco alejado del pesado ambiente colectivo donde se reunía tanta gente.

Para saber quien no tendría que matar pues éramos cuatro guerrilleros contra tres víctimas, Alonso tomó cuatro fósforos y les quitó la cabeza a tres, los revolvió entre sus manos y los colocó en medio de dos dedos de la mano derecha, sin que pudiéramos saber cual era la cerilla con cabecita. Cada quien tomó un fósforo. Andrea sacó la cerilla que estaba completa, por eso no tuvo que matar a nadie. Secuestramos a los tres desdichados y los llevamos hasta el río Vendido. Les exigimos desnudarse y entregar las ropas.

Alonso ordenó:

- ¡Tiéndanse boca abajo en el piso!

Luego disparó contra la cabeza de Salomón. Wilmer mató a Chepe y yo acribillé la anciana. Andrea escogió las ropas que todavía servían, las lavó en el río y las empacó en una bolsa plástica dentro de su morral para llevarlas al campamento. Abrimos los cadáveres a la altura del vientre, les amarramos piedras al cuello para que no flotaran y los arrojamos al río, porque ya eran casi las diez de la noche y nos dio pereza abrir huecos para sepultarlos.

No pude dormir por el recuerdo permanente de las persistentes frases de Graciela:

- Que Dios los perdone. Solo el sabe que somos inocentes-

Y la tenebrosa respuesta de Alonso:

- ¡No se dejen engañar con cuentos de hadas!....¡*Estos tres h.p. son sapos!*-

Pasamos la noche en la casa donde antes vivían los tres campesinos que ahora estaban muertos. Al día siguiente nos levantamos a las cinco de la mañana, desayunamos y por indicación de Alonso nos quedamos en la misma vereda en actividades de *trabajo político*, imbuidos por los credos y enseñanzas recibidas de los ideólogos de la guerrilla, quienes nos inculcaron que la persona que no esté a favor de la guerrilla está en contra de ella y que la única forma de ganarles en concepción es eliminándolas del planeta.

De nuevo recordé la frase de Edilberto acerca de las cuestiones de vida o muerte.

Los campesinos de la vereda San Joaquín nos comentaron acerca de una pareja de ladrones de ganado y gallinas llegados de Tello Huila. Una tarde cuando salíamos de una reunión política con algunos líderes comunales, vimos los dos *tipos* arreando una novilla. Les caímos por sorpresa y los *ajusticiamos*. Para hacer quedar bien a la guerrilla, devolvimos la novilla al propietario y agregamos el dinero que llevaban los ladrones en los bolsillos.

- De esa forma aseguró Alonso- somos o por lo menos demostramos autoridad dentro de la masa campesina-

Al lado de los muertos dejamos letreros aclaratorios con la atribución del crimen a nombre de las farc. Despojamos los ladrones de una pistola y un revólver utilizados para cometer las fechorías. Un inspector de policía realizó el levantamiento de los cadáveres. Edilberto nos felicitó según su óptica, por haber recuperado las armas y eliminado no a dos sino a *cinco antisociales,* porque actuamos con justicia por la gran causa de la *liberación nacional.*

Aún recuerdo la malicia de sus frases:

- Claro que somos como *perros que comen perros*-

Permanecimos un mes en la labor de *trabajo político* dentro de la masa campesina. Comimos y dormimos en las casas en contravía con los reglamentos de las farc. Fuimos indisciplinados en el cumplimiento de las normas de comportamiento táctico obligatorias para todo guerrillero. Al hacer retrospección de lo sucedido en aquellos días concluyo que los campesinos nos colaboraron por miedo y no porque profesaran simpatía por nosotros.

En la mitad de la cuarta semana de andanzas por esas veredas, recibimos la comunicación de Edilberto que deberíamos regresar para el campamento, pues *gente de inteligencia urbana* de Neiva obtuvo la información que la Novena Brigada planeaba una ofensiva militar, sobre la vereda Laureles donde en ese momento estaba ubicado el campamento principal.

Capítulo II

El bautizo de fuego y la guerra de guerrillas

Regresamos al campamento de Laureles, un día antes que el Ejército entrara al área. A partir de ese momento comencé a experimentar otra etapa de los sufrimientos derivados de la inexplicable guerra en la que a diario mueren tantos colombianos, sin que resulte nada positivo para el país. Por esa razón, pienso que si algún día la guerrilla es sincera cuando dice que quiere la paz, lo mejor es que se desmovilice.

Además el Ejército es la fuerza legal del estado y no va a permitir que lo suplanten. No es que yo sea militarista ni que comulgue con la solución militar al conflicto armado, pero de verdad, esa es la conclusión a la que llegué después de 13 años de militancia guerrillera, en los que ni la guerrilla avanza en lo cualitativo, ni el gobierno permite que se produzca alguna inclinación seria en la balanza de la guerra.

Combatimos en absoluta inferioridad de condiciones, por eso la única opción fue correr y dejar todo abandonado. La incursión de los soldados al campamento fue una maniobra táctica de contraguerrillas precisa, pues nos sorprendieron a pesar de estar avisados. El error fue suponer que no llegarían tan pronto, sumado a que nuestros agentes de inteligencia *se durmieron* y no detectaron la presencia de los soldados en la zona.

Los soldados nos quitaron todos los morrales con las provisiones, la intendencia y el avituallamiento. Perdimos los ponchos, las hamacas, los toldillos, las cobijas, la comida y lo más importante los documentos internos del frente. Mejor dicho todo. Quedamos desprovistos de la logística tan necesaria en cualquier guerra. Escapamos de milagro.

Los ocho días siguientes a la sorpresiva incursión militar en Laureles, dormimos en el piso tendidos como animales. Peor que cuando ingresé al grupo. A duras penas comimos *yuca y plátano sancochados en agua sal,* conseguidos a hurtadillas con los campesinos auxiliadores del área. Con frecuencia recordé la familia y las suplicantes frases de mi mamá para que no ingresara a la guerrilla, porque enfrentar al Ejército del gobierno sería duro. Muchas bombas vertidas por los aviones cayeron cerca de nosotros. Mas de una vez quedé estático.

Atiné a preguntar:

-*¿Hasta cuando viviré?*

Con la explosión de cada bomba, yo corría despavorido. Entonces algunos guerrilleros que sentían cierta envidia contra mí debido a que contaba con la confianza de Alonso a pesar de ser *nuevo* en las farc, me imputaron el *delito de cobardía.* Me aplicaron la primera sanción. Tuve que cargar leña durante 20 días y participar desarmado en tres combates. Fue el primer pago que me dieron por matar gente a nombre de *la revolución.*

El autor intelectual de la sanción fue Alonso, quien dijo:

- Agradézcame, porque de esa manera lo salvé de un *consejo de guerra-*

Además autorizó que me devolvieran el revólver, para que bajo la mirada acuciosa del relevante cumpliera *la posta* durante la noche.

Al ocupar el puesto de guardia lloré muchísimo, porque quedé sin ropa el día que los soldados ocuparon al campamento. Anduve por entre el monte con una camiseta esqueleto y una pantaloneta deportiva. Pensé en escapar e inclusive inicié los intentos, pero las palabras amenazantes de Alonso, Edilberto y Duvar, me hicieron cambiar de opinión varias veces. Por fin logramos llegar hasta el río Venado donde teníamos una caleta con ropa y otros implementos.

Aguantar hambre fue lo más duro. Si desayunábamos, no almorzábamos. Cundía la desmoralización pero nadie se atrevía a hablar por temor a las temibles retaliaciones de Alonso y Edilberto. Meses después que escapé de las farc, supe que Alonso es de apellido Arias, nacido en la vereda La Garrucha de San Carlos Antioquia, y que ingresó a la guerrilla luego de presenciar el momento en que su papá asesinó a la mamá, porque la sorprendió en un acto de infidelidad con otro campesino, hecho criminal en el que inclusive Alonso bebió sangre de su progenitor en presencia de sus hermanos menores.

Pero el verdadero bautizo de fuego fue así: Nos levantamos como a las cuatro de la mañana. Se alistó una guerrilla completa integrada por 25 hombres, con la misión de tender una emboscada contra una patrulla del Ejército que avanzaba en dirección hacia el Pedregal en inmediaciones entre Potrero Grande y San Pablo. Dotado con un revólver y seis cartuchos fui colocado como sexto hombre en la línea irregular de la emboscada.

Bien tendido y sudoroso ante el pánico del inminente combate pedí protección a la Virgen María. El tiroteo demoró 10 minutos, pero no fui capaz de utilizar el revólver. Un guerrillero que estaba cerca de mi posición cayó muerto. Replegamos hacia el campamento transitorio. Los demás guerrilleros decían que matamos a cinco o seis soldados, pero no vi muertos entre los militares. Lo que si vi fue un fusil G-3 que un guerrillero quitó a la patrulla del Ejército durante la emboscada. Por elementales razones de seguridad cambiamos de campamento hacia El Playón en Colombia Huila.

La muerte del compañero caído en combate me impactó demasiado. Mario, quinto al mando de la dirección del frente y especializado en asuntos de política revolucionaria, dictó una charla acerca de lo que significa morir por la *revolución*:

- La guerra es una lucha entre dos fuerzas armadas en la que hay muertos. Somos hombres y mujeres incorporados a las farc para defender los ideales del partido y de una organización que lucha por el pueblo, por el cambio a favor de las masas populares. Nuestro compromiso es de vida o muerte-

Alonso comunicó por radio que estuviéramos alerta porque acababan de escapar dos compañeros, que tuviéramos cuidado por que el plan de los fugitivos era entregarse en una instalación militar para llevar los soldados hasta nuestros campamentos. Esa noche la guardia fue redoblada en turnos de dos horas. En el puesto de vigía volví a ver la cara del compañero muerto, algo que me impresionó demasiado. Asustado abandoné el puesto hasta la hora del relevo, es decir que si me hubieran *pillado*[19], me habrían llevado a un *consejo de guerra por colaboración voluntaria con el enemigo*

A las cuatro de la mañana del siguiente día ocupamos las trincheras. Alonso volvió a llamar por radio para avisar la captura de los desertores y a la vez pedir el concepto de los 25 guerrilleros que estábamos allí, para desde luego, juzgarlos y matarlos. Nunca más volvimos a saber nada de esos muchachos

---

[19] Sorprendido en el acto.

porque Alonso los eliminó. Dos días después el Ejército nos llegó al campamento. De nuevo perdimos los morrales de campaña y las escasas provisiones. No combatí, porque fui uno de los primeros que salió a correr.

Llegó la orden del secretariado de trasladar al Bajo Pato a los 25 guerrilleros guiados por Mario. Allá conocí a Rigoberto Lozada Perdomo mas conocido con el remoquete de *Joselo* y al famoso jefe guerrillero Jaime Guaracas. Joselo ya era legendario en el Huila. Era uno de los guerrilleros *marquetalianos*[20] renombrado al mismo nivel de *tirofijo*. Joselo fue un campesino astuto, malicioso, conocedor de la región como la palma de su mano.

Sin ser buen instructor político si encarnó un ferviente revolucionario y uno de los hombres de mayor confianza de Marulanda. Guaracas era mejor hablado y de apariencia menos rústica que la de Joselo. Claro que desde aquel entonces Vilma su mujer una *indiecita caucana*, le cuidaba las dolencias de un cáncer que lo estaba matando. Años después Guaracas se residenció en Centroamérica, retirado de las farc, según se dice al robar una importante suma de dinero que era del movimiento.

Como ya anoté, llegué al Bajo Pato sin morral, sin mudas de ropa, sin comida, sin nada. Mario ordenó que sirviera de *posta* desde las seis de la mañana. Él y los *rancheros* olvidaron guardar mi almuerzo y relevarme del puesto. A las tres de la tarde pasó Guaracas por el lugar donde estaba de guardia y me encontró llorando. Preguntó la causa.

Contesté:

- Estoy desmoralizado y tengo mucha hambre- mientras pasé el dorso de la mano derecha sobre los párpados

---

[20] Que estuvo presente en Marquetalia en 1964.

El viejo guerrillero fue conmigo hasta su *cambuche* donde me obsequió un buen trozo de panela. Colocó su gruesa mano sobre mi cabeza y dijo:

- Tranquilo *pelao* que la situación va a cambiar. No se desmoralice. Usted empeñó su palabra con *la revolución*. Lo mejor es que se ponga a tono con el ambiente. Así evitará problemas que nos obliguen a actuar contra usted-

Fue una especie de amenaza expresada en términos cordiales pero directos. De esa manera tuve el primer contacto con uno de los más famosos jefes guerrilleros de aquella época. Como se dice en le argot popular, Joselo *la aplicaba*[21] con tono autoritario, muy al estilo de Alonso o Edilberto.

Con el mes de junio llegó al Bajo Pato otra gigantesca operación de contraguerrillas. Habíamos perdido mucha gente en los diferentes combates. Durante una de las tantas persecuciones que nos hizo el Ejército, arribamos hambreados a un cultivo ubicado en la vega de una quebrada donde devoramos hasta las cáscaras de los plátanos. En otra ocasión tuvimos que comer cogollos de palma con sal. *Joselo* cargaba en el morral galletas y leche en polvo, pero no compartió eso con nadie.

Recibí un fusil de perilla. A diario tuvimos escaramuzas con el Ejército que nos persiguió hasta en la sombra. Corrimos desde el Bajo Pato hasta Uribe y seguimos hacia Puerto Crevaux, por un camino difícil de transitar. Por el peso y la longitud del fusil, los desplazamientos fueron caída tras caída, pues con el invierno las trochas son intransitables.

Por renegar me hicieron varias anotaciones en la hoja de vida. Era consciente que ya tenía puntos en contra en un eventual

---

[21] Imponía las razones.

consejo de guerra. Por ese motivo no dormía tranquilo, con la sospecha que en cualquier momento podría ser *amarrado*.

Instalamos una emboscada contra Ejército en El Chamuscado cerca de Puerto Crevaux. Disparé una sola vez el fusil de perilla, porque no lo coloqué bien, entonces el arma retrocedió y me golpeó en el hombro. Permanecí arrodillado detrás de un árbol, desde donde disparé el revólver más por hacer ruido que por herir o matar a alguien. Al cabo de media hora retrocedimos. Los soldados nos tenían casi rodeados. En ese combate murieron cuatro guerrilleros. *Cocorico* dijo que matamos cinco militares, pero por segunda vez en un breve lapso, tampoco vi ningún uniformado muerto.

Perdimos una pistola en ese combate y además dejamos abandonados los cadáveres de los compañeros caídos en acción. Replegamos hacia el río Papamene, hasta donde llegó la persecución de la *tropa oficial*. Divididos en pequeños grupos rompimos el asfixiante cerco tendido por los soldados. Con el recuerdo de los muertos dejados atrás, durante tres días cavilé mucho acerca de la miserableza que significa morir combatiendo como guerrillero, pues nunca descarté que me pudiera pasar lo mismo.

Instalamos otro campamento cerca de Puerto Crevaux, hasta donde llegó Jacobo Arenas con una compañía de seguridad personal. Era el ideólogo de las farc, el intelectual, el político, el hombre que tomaba la palabra y nos instigaba a actuar sustentados en los postulados de la revolución socialista. Siempre creí que por lo muy leído Jacobo era demasiado imaginativo, pero egoísta de tiempo completo e incapaz de participar en un combate.

Pura palabrería y nada más. Durante el largo periodo que conviví con la gente del secretariado de las farc, aprecié en

Jacobo Arenas a un hombre que gustaba de las lisonjas así fuera por hipocresía, amigo de los chismes y a la vez despiadado para aprobar asesinatos de compañeros en especial de aquellos que pudieran tener proyección en la parte política, porque quizás Jacobo aspiraba a que sus hijos Pacho y Beatriz, quedaran con las riendas del poder político dentro de las farc. Mejor dicho, Jacobo se consideraba un rey con derecho a proyectar por herencia directa el poder que tuvo dentro de la guerrilla.

El Ejército instaló una base militar cerca de Puerto Crevaux. Éramos 200 guerrilleros en total. Se planeó el asalto. Todos los días iban guerrilleros vestidos con ropas de civil a realizar tareas de inteligencia sobre el puesto militar. Los enviados traían croquises con informaciones acerca de distancias, campos de tiro, ubicación de los soldados centinelas, horarios de relevos, rutinas, etc. Jacobo y Marcelino evaluaron cuidadosamente las informaciones. El Ejército dejó unas unidades en el río Papamene. Eran tres grupos de soldados contra los que planeamos el ataque. Jacobo bautizó el plan con el nombre de *Cisne 3.*

Nos dividimos en tres grupos de asalto, dos apoyos de combate y seis de medidas de seguridad encargados de instalar emboscadas sobre las vías de acceso a Puerto Crevaux. Era el mes de junio. La noche estaba clara. El asalto fue orientado por Joselo y Guaracas. El tiroteo empezó a las 8 PM y terminó a las dos de la madrugada. Jacobo Arenas se fue para la vereda Santander de Uribe y desde allí dirigió las acciones por radio.

Ya en el campamento los guerrilleros que participaron en el asalto, los comandantes de escuadras y guerrillas, afirmaron que el ataque fue exitoso y orgullosos mostraron cuatro fusiles G-3 despojados a los soldados. Entre los guerrilleros murieron siete y nueve quedaron heridos.

Los heridos dificultaron los movimientos porque se convirtieron en un estorbo para todos. Álvaro el enfermero era un exestudiante de la Universidad Nacional que no terminó la carrera de medicina, por *enguerrillarse* motivado por la *fiebre de revolución armada* que rondó en la juventud durante los años sesenta y setenta. Vi al sudoroso seudomédico suturar los heridos pero estos no reaccionaron.

Guaracas y Joselo consultaron a Jacobo

-¿Qué hacemos con los heridos?-

Y este respondió:

- ¡Mátenlos!.... pero sin hacer ruido ni gastar munición innecesariamente-

El cuasi médico natural de Santa Rosa de Cabal, inoculó por vía intravenosa mucho líquido y los heridos fallecieron casi al instante. A la par con las dudas aumentaron los conocimientos acerca de refinadas técnicas para asesinar personas sin hacer ruido. Álvaro me explicó que al inyectar el agua cruda entre las venas, el líquido llegaría al corazón o los pulmones y produciría pleurosis, entonces los pacientes morirían, No se si es cierto o falso, pero la realidad es que Alvaro les inyectó algo y enseguida murieron. Tengo la duda si en realidad les inoculó veneno.

Joselo regresó para el Huila y encargó el mando a *Cocorico*, quien cargaba una ametralladora punto 30 quitada al Ejército años atrás, creo que en una emboscada en Resinas. Una o dos semanas mas tarde, Guaracas también regresó para el Huila en compañía de Vilma la *caucanita*.

De Puerto Crevaux nos dirigimos por primera vez a la famosa zona de *casa verde*. El primer lugar que conocí del extenso emporio de Marulanda y Jacobo en el área rural de Uribe Meta, fue la vereda Las Mil. Todos los residentes, miembros activos del partido comunista colombiano, nos saludaron con la palabra *camarada o compañero*, y en general con términos de un lenguaje similar al de las farc. Les escuché mencionar la existencia de *escuelas de formación agraria* en las que jóvenes de 10 a 15 años fueron organizados en tareas de producción comunitaria. Todo se hacía por comités, nada era individual.

Con mucha seguridad aquellos campesinos especulaban acerca del día en que el comunismo tomaría el poder y toda la riqueza sería un patrimonio del pueblo. Todos hablaban pestes de *los gringos* y demostraban estar resueltos a participar en *todas las formas de lucha* para que el partido y la organización armada tomaran el poder. Quedé impresionado del nivel de adoctrinamiento de esas gentes, convencidas hasta los tuétanos de la guerra revolucionaria y sus procedimientos. En ese sentido teníamos el apoyo del campesinado de la región.

Construimos un enorme campamento en el cual bajo la dirección de Andrés París y Beatriz Arenas estudiábamos la proyección de la política revolucionaria en Colombia y la problemática de las ciudades, que en realidad casi ninguno conocía, pero que imaginábamos o suponíamos. También desarrollamos muchos trabajos de formación política con guerrilleros urbanos, dirigentes regionales y nacionales del partido y miembros de la juventud comunista que llegaban hasta Las Mil.

Leíamos documentos enviados por *tirofijo* o Jacobo, hacíamos entrenamiento militar, organizábamos obras de teatro para horas culturales, y a cambio de realizar polígonos hacíamos ejercicios de *tiro seco* para ahorrar munición. Comprendí con más claridad el criterio de economizar recursos impuestos a las bajas estructuras por las altas, sin importar cuanto gastaran los miembros del secretariado. Vi a los jefes beber cerveza, brandy o whisky, algo que estaba restringido, o mejor dicho, prohibido para los guerrilleros de base.

Me cambiaron el fusil de perilla por una carabina M-2 calibre .30 y me enviaron a *comisionar* con una guerrilla que operaría bajo el mando del *gocho* Alexander cerca de Uribe con la misión de asegurar la entrada de unos víveres con destino al secretariado, reclutar nuevos guerrilleros, organizar una red de inteligencia mas sólida y asegurar la entrada o salida de personajes de la vida nacional que visitaran *casa verde* para hablar con los jefes de las farc, pero en principio para detectar cualquier movimiento del Ejército en la región, ya que para esos días los dirigentes de las farc celebraban la séptima conferencia en la vereda La Totuma al sur oriente del Distrito Capital.

A pesar de la desmoralización y falta de interés por las tareas impuestas, Alonso y Edilberto propusieron durante la séptima conferencia de las farc, que me dieran mando de escuadra y para sorpresa mía, les aceptaron la sugerencia, con la garantía que por ser un nombramiento dado por esa instancia, solo podía ser suspendido o desconocido en otra conferencia nacional guerrillera y no como sucedía con quienes lo recibían a nive¹ de frente y luego los despojaban de dicha distinción.

Los requisitos para ejercer mando en las farc parten de la base de la lealtad con el movimiento armado, experiencia en combate, conocimientos básicos de política, facilidad para influir dentro de los guerrilleros y reconocimiento en la masa como guerrillero fiel a la causa.

Tengo la certeza que Alonso promovió mi nombramiento como remplazante de escuadra, porque como él me enseñó a asesinar gente, tal vez veía en mí a alguien que continuaría su demencial estilo de imponer los criterios de la llamada *moral revolucionaria.* Probablemente mi ascenso correspondía a una estrategia global orientada a estimular a otros jóvenes que ingresaron conmigo o después y para seguir utilizándome como sicario al servicio de la revolución comunista.

Como a cualquier ser humano se me subió el ego a la cabeza. Creí ser superior a los demás e inicié a hablar duro con *reglamento en mano.* Como si fuera abogado interpreté a mi forma de ver los incisos del texto y ordené esto y aquello, a quienes quedaron bajo mi mando. Terminamos el año de 1982, sin tener ningún combate contra el Ejército en aquella región.

Antes de la Navidad llegó un *correo* con la razón que las únicas mujeres del grupo Alba Marina, Deysi y Flor Angela deberían ir hacia El Palmar para asistir a una fiesta que organizó *tirofijo* con ocasión de la llegada del año nuevo de 1983. Las tres muchachas regresaron felices porque conocieron en persona al máximo jefe de las farc. Les pareció un campesino bonachón e inclusive Flor Angela dijo:

- Cómo será de mentirosa la propaganda capitalista que lo hace aparecer como un matón, cuando en realidad es alguien incapaz de hacer daño a otra persona-

A finales de enero de 1983, Timochenko envió la comunicación que deberíamos movernos hacia Palmar Bajo, donde nos esperaría *tirofijo*. Entretanto Guaracas que estaba otra vez cerca dispuso recoger una guerrilla que se movía cerca de Uribe. Con la astucia y la malicia que le caracterizan *tirofijo* se adelantó y nos esperó en La Caucha.

Vestía de civil y portaba una pistola al cinto. Con tono pausado advirtió:

- Debemos estar preparados para una confrontación grande que se avecina, ya que los *negritos* (espías que tenían las farc dentro del gobierno), me informaron que el Ministro de Defensa, ordenó al comandante del Ejército realizar operaciones ofensivas de contraguerrillas para destruir el secretariado de las farc y el *bloque oriental* que estamos formando en estos días-

Comprobé que *tirofijo* es un tipo astuto, inteligente, marrullero, terco, que no cede en el empeño de construir una fuerza guerrillera prevista para tomar el poder político por la vía armada. Me quedó la duda si un campesino de su apariencia tenga la suficiente lucidez para entender el manejo económico del estado o las relaciones internacionales o las de alta política.

Me pareció mas bien una fiera que sale en actitud defensiva de la madriguera de la que no quiere salir nunca, ni que lo vean. Deduje o mejor supuse, que detrás de el pudiera estar Alfonso Cano o Jacobo Arenas, pero no descarté que *tirofijo* sea el inspirador del manejo militar y del crecimiento cualificado de las farc como movimiento armado.

El Ejército arreció los ataques. Se intensificaron las operaciones de contraguerrillas en la zona. Nuevos reveses, mas desmoralización y mas *fusilamientos* de guerrilleros que escapaban de las escuadras debido al hambre o por el desconsuelo que produce ansiedad cuando las persecuciones son intensas. Participé en el *ajusticiamiento* de seis guerrilleros llevados a *consejo de guerra, y en el ajusticiamiento* de siete campesinos tildados de ser informantes del Ejército en las veredas La Explanación y Yavías de Uribe Meta.

Me especialicé en amarrar las víctimas y completar el crimen *pegándoles* un solo tiro calibre 22 en la nuca. Es algo que pocas veces falla. Luego les abríamos el vientre y los sepultábamos. Así era más rápida la tarea.

Después del encuentro con *tirofijo*, recibimos cientos de charlas, conferencias, y talleres de carácter político en las que repetimos hasta la saciedad, no confundir el *cese al fuego* que las farc propusieron a partir de 1984 con una forma de rendición, ya que en el fondo gestábamos una maniobra de oxigenación, reabastecimiento, ampliación del trabajo político de los frentes en los sitios donde estábamos abriendo zona, reconocimiento internacional y a la vez desarrollar una estrategia para conformar la coordinadora nacional guerrillera Simón Bolívar, con el M-19 y el eln, ya que el epl sería el primero en aceptar las propuestas *farianas.*

El partido comunista colombiano, empezó a promover dentro de las masas la idea de la Unión Patriótica, que era algo preplaneado desde mucho tiempo antes por Jacobo Arenas, quien parecía un experto adivinador para proyectar lo que serían los resultados electorales de 1986 con planteamientos multipartidistas, pues debido a la creciente táctica galanista de 1982 de dividir al partido liberal, sería mas fácil cooptar descontentos e inconformes. Así los votantes morderían el anzuelo y no notarían que detrás de las figuras pluripartidistas escondíamos los intereses comunistas.

Los puntos de comparación fueron el asentamiento del sandinismo en Nicaragua a principios de la década de los ochenta y la conformación del frente Farabundo Martí en El Salvador, inclusive la retrospección académica tocaba el éxito comunista en Vietnam, lo sucedido en Laos, Cambodia, Angola, China Popular, Cuba y el fallido *proceso castrista* en Grenada.

Es mas, entre los instructores extranjeros llegados en esa época a los campamentos de las farc hubo nicaragüenses, salvadoreños, chilenos, españoles, vietnamitas, franceses, cubanos, además de guerrilleros de otras nacionalidades que venían a entrenar o a intercambiar conocimientos de guerra revolucionaria e inclusive algunos de ellos se quedaron y hoy hacen parte de las farc.

A eso se suma la presencia constante de periodistas extranjeros y personalidades nacionales en su mayoría ansiosos *de la vitrina* y conseguir réditos personales para futuras contiendas electorales. Fue una etapa bastante difícil en la que subsistí dentro de las farc gracias a que además de la fama de matón ya tenía mando, condición que me diferenciaba de los demás guerrilleros.

Terminada la séptima conferencia de las farc, quizás la mas importante para la proyección integral de la organización revolucionaria, iniciamos primero a experimentar y luego como norma de conducta, exigir a los narcotraficantes de los carteles de Cali y Medellín que pagaran la cuota o gramaje por cada kilo de mercancía que sacarán de las áreas de influencia de las farc.

La decisión colectiva de imponer cuotas a *los coqueros y amapoleros* surgió del informe presentado al estado mayor del bloque oriental por el *camarada* Argemiro *comandante* del primer frente, quien de manera concisa sugirió que esa sería la forma mas rápida de estructurar el *ejército rebelde* de 36.000 hombres destinado a entrar triunfantes a Bogotá, pero tuvo muchas contradicciones internas por los temores derivados de la corrupción que genera el dinero fácil, que en esencia así sea en teoría, es contrario a los principios revolucionarios marxistas-leninistas. Lo cierto es que a partir de ese momento las farc empezaron a narcotizarse, con consecuencias aún impredecibles.

El asunto generó muchas discordias y críticas internas en las farc. Fueron horas y horas de discusión y análisis acerca de cómo manejar mejor esa contradicción política y la necesidad de fortalecer una fuerza suficiente para lanzar la ofensiva final.

Mas de una vez Jacobo Arenas dijo al respecto:

- En ocasiones el enemigo tiene razón. Estoy de acuerdo con

el general Landazábal[22]. Todo lo que toca el narcotráfico se corrompe. Por eso debemos manejar esa situación con pinzas de cirugía para evitar que se descompongan nuestras estructuras. Entendámoslo como un medio para ganar la guerra y no como el fin de la misma-

En las andanzas político- militares encaminadas a edificar bases sólidas para la construcción de la imagen y fortaleza del movimiento armado dentro del campesinado, con menos de 15 años de edad, conseguí compañera permanente. Fue Yazmín una linda jovencita, natural de Uribe Meta, un año menor que yo, quien se *enguerilló* por el capricho de estar a mi lado. Consulté al *gocho Alexander* para que la dejara dentro de las siete unidades bajo mi mando. Este habló con Alonso y Edilberto, quienes autorizaron una inmadura unión libre de la pareja de niños armados y al margen de la ley.

Yazmín, mi primer amor, fue una persona muy especial que me ayudó en todo, pues lavaba la ropa, preparaba la comida, arreglaba *la caleta*, me secundaba en las charlas de reglamento y hasta me acompañaba cuando estaba de guardia. Por suerte y gracias a los férreos controles de natalidad impuestos por la organización, Yazmín no quedó embarazada. Además es perentorio resaltar que pese a la corta edad de ambos en ella hallé el calor humano y la compañía ideal para sobrellevar las penurias de la vida guerrillera.

Pero como a la guerrilla se entra para servir a la revolución, es imperioso despojarse de todo cuando la situación lo requiera. Llevábamos cinco meses de compartir los rigores del *trabajo revolucionario* cuando llegó la orden irrevocable que Yazmín sería trasladada para una estructura que operaba bajo el mando

---

[22] General Fernando Landazábal Reyes, Ministro de Defensa de Colombia 1982-1984.

de Alonso. Duro golpe para ambos, pero conocedores de los maquiavélicos procedimientos urdidos a menudo por Alonso y por Jacobo Arenas, quien estaba muy cerca de nosotros, aceptamos a regañadientes la disposición no sin antes interceder por medio de la diplomacia campesina para que no se diera el hecho.

Yazmín cayó en ojeriza permanente desde la llegada al campamento de Alonso. Por chismes e intrigas fue sancionada varias veces, hasta que un día escapó de una escuela móvil de entrenamiento en *sanidad guerrillera de campaña*, según supe para buscarme y proponer la fuga compartida. Por desgracia fue capturada en la mitad del recorrido de fuga y llevada a *consejo de guerra*, con la esperada decisión del *ajusticiamiento* a manos de Alonso, pero en ese momento nadie me informó lo sucedido.

Como yo creía que Yazmín estaba todavía viva, cada vez que le preguntaba al *gocho* por ella, este mentía con la calculada respuesta:

- Lo único que se de ella, es que la tienen en un curso de enfermería y que como resultó ser excelente alumna, la encargaron del cuidado de unos heridos en un hospital clandestino de campaña-

Seis meses después Arnulfo aquel compañero de ingreso a las farc que sugirió paciencia y serenidad en el primer campamento, me contó:

- Johny, la verdad es que a Yazmín la fusilaron, aunque es importante resaltar que por primera vez los guerrilleros antiguos conminamos a Alonso para que no cometiera ese crimen, pero la decisión fue inapelable-

Pensé en matar a Alonso y cometí el error de exteriorizarlo. Desesperado abordé al *gocho* y le increpé:

-Camarada Alexander: ¿Porqué mintió respecto a la situación de Yazmín, si usted estuvo presente en el *consejo de guerra?*.... ¡Ya no lo considero mi amigo!. Nunca le perdonaré esta *cochinada.* Tengo ira y deseos de cobrar venganza, contra quien sea el responsable de la muerte de esa mujer, pues los padres de ella saben que fui yo quien la sacó de la casa.-

- ¡Escuche bien joven Johny!: Usted todavía está muy *pollo* para que venga a *soplarme las narices*[23]. A la guerrilla se entra para luchar por una revolución que algún día será triunfante y no para estar pegado a las naguas de una mujer. En el mundo hay *muchas hembras mejores* que Yazmín, y los guerrilleros podemos conseguir *viejas* por montones. Mejor dicho en el monte no se puede vivir ni de sentimentalismos ni de novelitas rosa- respondió *el gocho.*

Después de una breve pausa mientras aspiraba el humo de un cigarrillo marca Pielroja, agregó:

- Por enésima vez le repito algo que es norma en la guerrilla. Si la propia madre de uno lo traiciona en esto, al guerrillero comunista no le debe temblar la mano para matarla-

Mis actos evidenciaron incomodidad y deseos de venganza. Alonso y *el gocho* dispusieron una investigación interna y seguimiento detallado de mis movimientos. Lo mas asfixiante de la vida guerrillera es convivir con el estilo de policía secreta para satisfacer las conveniencias del jefe.

Fue un mes muy difícil. A cada paso que daba presentía la mirada atenta de los vigilantes y las armas apuntadas contra mi espalda con la orden de abrir fuego ante la menor sospecha. Lo único que me salvó es que no podían despojarme del mando sin

---

[23] Subir el tono de la voz.

autorización de Jacobo o de *Tirofijo*, porque si actuaban de otra manera el *camarada Jacobo* los podía hacer matar a ellos.

El tiempo se encargó de curar las heridas. Poco a poco olvidé a Yazmín. En una fiesta organizada por *el gocho* a orillas del río Papamene en la finca de una señora auxiliadora de las farc e integrante del partido comunista clandestino, apodada *pan pelado*, bailé varias piezas con Noralba, quien manifestó estar enamorada de mí, por ser yo tan joven con cargo de comandante y además con fama de ser implacable para aplicar la *justicia revolucionaria*. Nos juntamos sin que Alonso o *el gocho* se opusieran, tal vez para ayudar a que el episodio de Yazmín quedara en definitiva encerrado en el baúl del olvido.

Noté que a partir de ese momento redujo el espionaje en mi contra. Con 20 años de edad y tres de militancia guerrillera, Noralba natural de El Doncello Caquetá quien nunca me quiso decir su propio nombre, era una mujer mas experimentada que yo en todos los campos de la vida, pues ya había tenido dos compañeros en la guerrilla y uno en la vida civil. Quizás por despecho o por incomprensión me enamoré de ella con asidua consistencia. Convivimos un año hasta que la *revolución* la trasladó a otra estructura.

En una de las tantas andanzas guerrilleras en compañía de Noralba, pasamos el río Duda con dirección hacia el sur cerca de Jardín de Peñas. El Ejército nos persiguió y nos *dio duro*. Fueron operaciones bravas. En el cielo aparecían helicópteros que vertían tropas por todos lados. Que soldados tan *metelones*[24]. Parecían fantasmas que encontrábamos en todas partes. La selva no los doblegaba. Padecimos las *duras y las maduras*. Producto

---

[24] Agresivos, combativos, corajudos.

de la encerrona, escaparon con el armamento diez guerrilleros. El miedo cundió en todo el grupo.

El cerco se fue estrechando, pues los soldados ubicaron el área general donde estábamos. *El gocho* se *restió* es decir se jugó el todo por el todo. Nos reunió debajo unos árboles para informar que:

- La decisión es romper el cerco enemigo esta noche a como de lugar. Quien no quiera seguir, entregue el arma y váyase ya-

Nadie dijo nada pues sabíamos los alcances homicidas de ese hombre.

A las seis de la tarde iniciamos el sigiloso movimiento por un estrecho cañón. Media hora más tarde *se prendió* el tiroteo. Yo marchaba de cuarto hombre en la columna guerrillera. Los tres primeros compañeros cayeron en la emboscada. Seguido por Noralba, que parecía una leona embravecida, disparé y corrí como loco hacia delante. Aunque ya no escuché mas disparos corrimos más y mas. Tal vez a las ocho o nueve de la noche evidencié que estábamos fuera del cerco de los soldados. Al reorganizar la columna para continuar la marcha de huida, notamos la ausencia de seis compañeros así como la pérdida de 10 armas.

Alexander *el gocho* atinó a decir:

- Somos grandes, aunque perdimos seis hombres salvamos la vida de 37 más. Dimos un gran combate por la liberación del pueblo. Eso indica que no vamos a morir de hambre en esta selva-

Volteé a mirar a Noralba. Estaba embarrada hasta la coronilla. Su hermosura y feminidad se conservaron intactas pese al dramático momento. Estaba tan enamorado de ella que durante el *carrerón* pensé varias veces que si ella muriera, yo también debería dejar de existir.

Dirigimos la marcha hacia Sabaleta y luego Yavías. Todos los días *el gocho* habló con Jacobo Arenas por medio de un pesado radio marca Yaesu operado con una batería de carro. El fardo cargado a la espalda por *el radista*[25] pesaba mas de una arroba. A veces era necesario llevar ese material a lomo de mulas facilitadas por los campesinos de la región.

El Ejército nos localizó en Yavías por lo que tuvimos que replegar la fuerza hacia la vereda San Carlos, que en ese tiempo era casi todo selva virgen, pues no habían llegado los colonos insertados por el partido comunista para construir una especie de república independiente similar a las de Marquetalia, Riochiquito y El Guayabero.

Por fin logramos la quietud gracias a que inició la tregua pactada entre el gobierno de Belisario Betancur y los jefes de las farc. Explotamos la ventaja para fortalecer el entrenamiento político y militar con miras a salir mas fuertes cuando se rompieran los diálogos, pues desde el principio sabíamos que sólo se trataba de una retirada estratégica, encaminada a preparar ofensivas generales en 1989, 1992 y 1996, cuando de acuerdo con los planes de campaña de aquellos años, las farc tendríamos entre 35.000 y 40.00 guerrilleros alrededor de la capital de la república. Sería cuando los habitantes de los barrios subnormales de las ciudades, los estudiantes y los obreros, se unirían a las guerrillas para paralizar el país y entrar triunfantes a la Casa de Nariño.

En la medida que transcurrieron los diálogos de paz con la administración Betancurt, se incrementaron las actividades políticas en los campamentos guerrilleros instalados alrededor de *casa verde*. Por primera vez conocí de cerca a casi todos los

---

[25] Persona encargada de operar el radio de comunicaciones.

personajes de la vida nacional, de esos que los campesinos solamente escuchamos por radio o de vez en cuando vemos por televisión. Era curioso observarlos caminar con botas de caucho y sin los finos vestidos de paño con corbata, que lucen sentados en cómodos sillones en Bogotá, mientras el pueblo se desangra en los montes y veredas.

Con sagacidad campesina noté en la expresión de los rostros de los jefes que con las conversaciones las farc ganábamos espacio político y capacidad militar a expensas de la bonachona ingenuidad del gobierno nacional, o de los medios de comunicación que ansiosos de ser los primeros en dar la última noticia, le hacían juego a las pretensiones calculadas de los jefes del secretariado dirigidos por Jacobo. Es inolvidable la ruidosa fiesta en los campamentos de las farc el 28 de mayo de 1984, con ocasión de la firma del cese del fuego y la celebración de 20 años de existencia del movimiento.

Permanecí dos meses más en *casa verde* como integrante de una de las compañías de seguridad de *tirofijo*. Por disposición del secretariado fui enviado a la compañía Armando Ríos actual frente 25 de las farc. El nombre de esa unidad guerrillera conserva la memoria histórica de un fundador del movimiento que combatió y murió en Marquetalia en 1964. Dicho traslado fue el punto de dolorosa separación de Noralba, quien dos años después cayó en un combate contra la policía durante el ataque guerrillero al municipio de Vistahermosa Meta.

El río Sinaí fue el asentamiento inicial de la columna Armando Ríos, mientras los comisarios políticos del partido comunista residentes en Icononzo, Villarrica, Cunday y Prado Tolima, prepararon el área, con base en el recuerdo del desplazamiento masivo de gentes hacia el cañón del río Duda durante los años de *la violencia* y los ataques militares del gobierno de Rojas Pinilla contra los fortines armados que se sublevaron contra el gobierno en Villarrica, La Colonia y alrededores.

En los campamentos del río Sinaí observé a los campesinos residentes en El Palmar Bajo y El Palmar Alto, entregar con destino a los depósitos clandestinos de las farc, las cargas de fríjol y arveja secos, producidos en escuelas de capacitación comunitaria, organizadas por un líder agrario de izquierda llamado Miguel Macana, cultivados con la fachada del trabajo colectivo realizado por la juventud comunista del Alto Sumapaz.

Los trabajos agrícolas eran supervisados por especialistas en el ramo y los campesinos fortalecidos ideológicamente por los comisarios del partido y de las farc, llegados de Bogotá, Neiva y Villavicencio. Había una *flota mular*[26] y un grupo de *caleteros*, encargados de manera permanente de abastecer los depósitos clandestinos y llevar el estricto control de los recursos para que las guerrillas móviles tuvieran puntos de abastecimiento y no fueran a desfallecer por hambre en caso de una operación militar masiva. Quizás por esta razón sea tan difícil precisar la ubicación de los jefes del secretariado de las farc.

---

[26] Recua de mulas prevista para movilizar grandes cargas de abastecimientos.

Capítulo III

Sicariato comunista y secuestro

A finales de la década de los años ochenta y comienzos de los noventa hizo carrera el desprestigio del nombre de Colombia ante la comunidad internacional, producto de los actos terroristas cometidos por los carteles de la droga, resarcidos en masacres perpetradas por sicarios al servicio del narcotráfico. Sin embargo nadie se preocupó por estudiar o investigar y poner en el mismo nivel de gravedad, al sicariato comunista del que fui actor principal.

Tampoco se ha tenido en cuenta que uno de los *caballitos de batalla*[27] de la subversión colombiana es asumir como propia la bandera de la defensa de los derechos humanos, sin que ninguna ONG relacionada con el tema, haya recriminado mediante estadísticas o testimonios serios, confiables, verificables y concretos, que la guerrilla colombiana se lucra de manera impresionante con el secuestro, el atraco a mano armada y el tráfico de estupefacientes, además de cometer actos terroristas que rayan en los límites de la barbarie.

Narro hechos reales que dan la pauta para entender los caudales de la creciente violencia que desde hace más de cuarenta años azota al país. En aquella época con un lustro de

---

[27] Argumentos.

militancia subversiva a cuestas, buscaba destacarme en algo para obtener la admiración de las personas que me conocían.

Por infortunio hallé el reconocimiento en el sicariato y en algunos secuestros cometidos por las farc contra indefensas víctimas con el propósito de obtener fondos para financiar actos venideros de terrorismo y de violencia contra las personas que no comparten las ideas de la guerrilla.

Convencido como por desgracia siempre vivieron convencidos de manera cíclica los guerrilleros que año tras año pasan por las filas de las farc, que quien no de su voto abierto a favor de la organización armada, es un *enemigo de clase* de la revolución socialista y por lo tanto debe ser objeto de la *justicia armada del pueblo.*

Aferrados a esas ideas, del río Sinaí fuimos enviados a la área rural del municipio de Dolores Tolima con el fin de *abrir zona,* donde ya los comisarios políticos del partido habían ablandado la masa campesina preparando la llegada del grupo armado, con la doble misión de aportar seguridad estratégica en profundidad a los *camaradas* del secretariado de las farc instalados allá en el emporio de *casa verde*, pues de acuerdo con el criterio expresado por Jacobo Arenas:

- Vamos adelantándonos a las intenciones del enemigo. No es que estemos engañando al gobierno, sino que actuamos en previsión de seguridad integral, pues nadie puede asegurar a pies juntilla que el adversario no tenga planes militares para sorprendernos por cualquiera de los cuatro puntos cardinales-

El juego de doble faz sumado a la predisposición para mentir y manipular las personas, se resume en la explicación dada por Jacobo a *tirofijo* en relación con las calidades de los comisionados de paz:

- John Agudelo Ríos es especial. Aparece en el escenario político cada vez que se habla de paz en Colombia. Bueno..... Necesita figuración para no pasar desapercibido como le sucedió a Otto Morales Benítez. Aunque ellos no consiguen grandes ganancias electorales porque el *manzanillismo* y la politiquería de los burgueses los carcomen, esa clase de personas sirven al movimiento armado porque con su presencia en estas montañas elevan el nivel político de la confrontación-

Imbuido con *ideales políticos* de ese estilo y con el alma envenenada para combatir como buen revolucionario, contra todos los vicios del sistema capitalista, partí para Dolores Tolima con el grupo bajo el mando de Robin Mur. Éramos 77 guerrilleros provenientes de la antigua compañía Isaías Pardo y del primer frente que en ese tiempo estaba ubicado en la zona del Bajo Pato

Apoyados con lazos y con sumo cuidado para evitar un percance, cruzamos el río Riachón. Llegamos a la vereda Las Pavas e instalamos un campamento grande cerca de la casa de un señor llamado Tomás. Aunque la mayoría de los campesinos residentes en ese sector eran liberales, resultó fácil obtener el apoyo de aquellos hijos de la violencia bipartidista de los años cincuenta, además porque preferían colaborar so pena de ser ajusticiados, acorde con la advertencia de los comisarios políticos que antes prepararon el terreno.

Por orden expresa de Jacobo desde el secretariado, la primera tarea de la recién creada compañía Armando Ríos, fue exigir a los campesinos de acuerdo con las capacidades económicas de cada padre cabeza de familia, el pago de la extorsión o *vacuna* disfrazada con el nombre de *contribución voluntaria* a la causa revolucionaria y popular.

Las comisiones de inteligencia del frente 17 nos entregaron listados completos con los nombres de los moradores de las veredas aledañas, con los datos del potencial aporte de cada quien. Secuestramos a un ganadero-finquero, gracias a la cooperación de un grupo de civiles integrantes de lo que en ese tiempo denominábamos la *autodefensa revolucionaria* y que ahora son llamadas las *milicias bolivarianas.*

Determinamos que la víctima llegaba todos los viernes a la finca. Lo esperamos sobre la carretera que une el corregimiento de La Colonia con Villarrica. Roldán, Carlos, César y Diego pararon el vehículo y obligaron al señor a que entregara las llaves a uno de los guerrilleros, pero el automotor quedó abandonado casi en el mismo sitio del plagio. Estuve en el grupo de seguridad por si de pronto apareciera el enemigo.

El secuestrado era un anciano de 72 años de edad, que no podía casi caminar entre el monte. Al principio lo maniatamos pero cuando comenzamos a trepar hacia la montaña, el señor caía a cada rato y se golpeaba contra el piso. Roldán accedió a soltar los lazos con la amenaza de muerte si intentaba escapar

En silencio pensé pero no se lo dije a nadie:

-¿Qué va a escapar este viejo, que ni caminar puede?

Pasamos por las veredas Montoso y Galilea de Villarrica y luego subimos a la Cuchilla El Altamizal que demarca los límites entre los departamentos de Tolima y Cundinamarca. Fueron tres meses de torturas físicas y sicológicas para el anciano, en especial el difícil tránsito por senderos fangosos de El Altamizal, pese a que *tirofijo* ya había dispuesto la construcción de la famosa *trocha guerrillera*, como castigo a los compañeros sancionados y a los cortadores de madera, en contraprestación si querían trabajar allí.

Siete guerrilleros fuimos encargados para cuidar al secuestrado. Teníamos órdenes expresas de no conversar con él ni permitir la confianza o la cercanía de ningún compañero con ese señor, que no se quejaba pero demostraba un grado de tristeza conmovedor. Casi a diario subía a los sitios de cautiverio la enfermera del grupo para tomar la presión arterial y suministrar algunos medicamentos a la víctima. Era Lucrecia una campesina *aindiada* integrante clandestina de las farc natural de Icononzo, residente en un caserío llamado La Aurora, parecida un poco en el físico a Vilma *la caucanita* de Guaracas.

En esos momentos de solaz visita, el hombre manifestaba el deseo de retornar pronto a casa. Proponía que bajáramos el precio del pago exigido por la liberación y pedía que no lo fuéramos a matar. Las farc exigían cien millones de pesos, de acuerdo con las órdenes emitidas por *tirofijo* desde el secretariado. En septiembre de 1984 Marulanda accedió a que pagara 85 millones en billetes de baja denominación y así se hizo. Un familiar del señor entregó el dinero a Robin Mur en la vereda El Café. Cuando recibimos por radio la confirmación del pago, lo acompañamos hasta la vereda Las Pavas y lo dejamos libre. El anciano partió feliz para su casa abordo de un bus escalera.

Mur hizo un presupuesto para cubrir los gastos de funcionamiento del frente durante cuatro meses. Marulanda le autorizó utilizar 10 millones de pesos del dinero recibido por el secuestro. Además ordenó enviar 60 millones con un correo especial a *casa verde* y el resto para gastos del partido en Bogotá.

El 17 de octubre nos reunimos en el campamento de Las Pavas para celebrar el aniversario del triunfo de la revolución bolchevique en Rusia. Hubo licor y comida en cantidad exagerada. Junto con los discursos contra el gobierno de turno, cundieron la indisciplina y el desorden. Se proclamaron cientos de vivas al partido, al movimiento armado y a la lucha popular.

Para nuestra fortuna, no estaban por ahí los soldados del batallón Colombia, con quienes habíamos tenido dos escaramuzas la semana anterior, de lo contrario la celebración de la revolución roja hubiera sido letal para nosotros. Toda la noche estuve *arrastrándole el ala*[28] a Luz Marina una linda guerrillera natural de Fuente de Oro Meta, hasta que cayó redondita y **me la dormí**.

Reclutamos varios campesinos de la región, con lo cual contábamos con el silencio cómplice de las familias que por temor a perder sus hijos, no delatarían nada respecto a nuestra presencia en la zona. Para esos días también era experto en engatusar incautos para que cayeran en las mismas redes que entré gracias a los imanes subjetivos de Duvar, Darwin y Marleny. Es una constante que se repite todos los días en todos los rincones de Colombia. Unos entran y otros salen de las farc. Y la guerra continúa.

A principios de noviembre de 1984 recibimos la orden escrita firmada por *tirofijo* de enviar al secretariado un guerrillero para que adelantara el *curso de pistoleo* (sicario). Fui escogido por Robin Mur para cumplir esa tarea. La doble moral de las farc terminó por aumentar mis instintos criminales, pues mientras la organización promulgaba a los cuatro vientos estar en tregua con el gobierno que a mi parecer si la estaba cumpliendo, nosotros secuestramos civiles inermes, extorsionamos campesinos y fuera de eso entrenábamos pistoleros para seguir matando gente a nombre e la revolución que liberaría el pueblo de los *vicios capitalistas*.

---

[28] Actitud seductora.

Quizás el premio del curso me lo concedió Mur, porque en esos días había escapado un guerrillero llevando consigo una pistola Pietro Beretta calibre 9mm, una subametralladora Uzi y cuatro granadas. Lo seguimos día y noche hasta ubicarlo cerca de la represa El Prado. Lo esperamos a la vera del camino. El desertor venía distraído y sin fuerzas pues tenía una herida en el abdomen causada por otros guerrilleros en una emboscada diferente. Apunté la mira de la carabina en el pecho del *traidor*. Disparé dos veces. El hombre cayó al suelo. Recuperamos el armamento, el dinero y el reloj que llevaba. Dejamos el cadáver *tirado* y regresamos al campamento a reportar lo sucedido. Matar personas ya era algo muy normal para mí en ese momento.

Otra acción que mereció reconocimiento para ser escogido para el curso de *pistoleo*, fue el *ajusticiamiento* de tres campesinos del corregimiento Tres Esquinas, sindicados de ser informantes del Ejército y según cuentas los autores intelectuales de la fuga del compañero con las armas, quien en apariencia era un agente de inteligencia de la Sexta Brigada de Ibagué infiltrado entre nosotros.

Eso fue lo que me dijeron antes de viajar hacia *casa verde*. Cometer tales crímenes en compañía de Luz Marina, Roldán y Diego me posicionó entre los guerrilleros para que perfeccionara el macabro arte de matar.

Antes de salir escuché a Rubin Mur decir:

- Johny usted va muy bien. Alonso lo recomendó como un buen remplazante de escuadra y aquí lo demostró. Por eso la dirección lo escogió para que haga el *curso de pistoleo* en el secretariado. Sépalo de una vez que a ese curso solamente asisten siete guerrilleros de todas las farc. El entrenamiento va a ser duro, por lo tanto deberá tener mucha paciencia para llegar hasta el final-

La noche antes de partir hubo una fiesta de despedida en la que criticaron por no haber despojado de la ropa a los muertos de Tres Esquinas antes de dispararles como era la costumbre de las farc. Quería hablar con Luz Marina pero fue imposible porque Roldán que tenía el interés de convivir con ella la había llevado a una comisión en Dolores Tolima, el día siguiente a la celebración de la revolución bolchevique.

Salí a las seis de la mañana acompañado por una pequeña escuadra integrada por William, Rubén, Efrén y Ricardo, quienes al mismo tiempo, recibirían entrenamiento en manejo de explosivos en otro campamento del secretariado con Erika y José dos nicaragüenses apodados *los gringos* por el parecido físico con los norteamericanos. El primer día de marcha llegamos a un punto llamado El Carmen donde continuamos bebiendo trago sin tener en cuenta las más mínimas medidas de seguridad.

Después de 10 días de extensas caminatas y de enlaces con varias comisiones pertenecientes a diferentes anillos de seguridad de los mandos superiores de las farc, arribamos al secretariado, donde nos recibió Melkin, quien nos separó por cursos. Los otros seis integrantes del entrenamiento para *pistoleo* provenían de los frentes 2,4,5,17 y 27 mas uno de la seguridad del camarada Cano. En La Caucha *tirofijo* me encargó del mando de los otros seis para llevarlos hacia La Julia.

Demoramos cuatro días en el sigiloso recorrido y la exploración del terreno ordenada por Marulanda. Cocinamos con leña puesto que no llevábamos estufas de gasolina como sucede ahora. Encontramos una *avanzada de seguridad* que nos esperaba para guiarnos hasta el campamento de Raúl Reyes encargado del desarrollo del *curso de pistoleo* en una pista clandestina de aviación, utilizada por el secretariado para recibir las avionetas provenientes de Bogotá, Villavicencio, Florencia, Neiva, Cali, San José del Guaviare, Ibagué o Popayán. Es bueno aclarar que desde los inicios las farc han contado con eficientes redes urbanas de apoyo logístico.

Raúl Reyes es un tipo bien hablado, de quien puedo asegurar desde el instante en que lo conocí, que es un vividor de la revolución, porque no tiene ninguna experiencia en combate, pero aprovecha la locuacidad y conocimientos del marxismo-leninismo, para conservar la jerarquía dentro del secretariado. Siempre me pareció un mediocre, carente de habilidades tácticas para comandar unidades guerrilleras, pero como en las farc se aprende con suma rapidez a ser hipócrita para salvar la vida, jamás exterioricé nada al respecto.

- *Camarada* Raúl: ¡A su orden siete unidades inclusive!...estamos listos para iniciar el curso- Informé con saludo militar y toda la formalidad del caso.

- Es necesario esperar hasta enero del próximo año, porque aún no están completos todos los instructores y tampoco han llegado unas motos que nos envían los urbanos desde Bogotá-explicó Reyes.

Pasamos el mes de diciembre escuchando prolongadas conferencias y lecturas de documentos políticos en tertulias dirigidas por Raúl Reyes, quien nos manifestó ser un antiguo sindicalista de izquierda, natural de La Plata Huila, incorporado a las farc debido a la cantidad de injusticias que observó en el Huila, el Valle y el Caquetá, donde laboró ampliamente con la juventud comunista (juco), los sindicatos y el partido, que según sus palabras siempre tendría supremacía política sobre el movimiento armado.

En dicho campamento celebramos las festividades de navidad y año nuevo, algo que es supremamente importante dentro de al cultura **fariana**. Ahí conocí a una linda guerrillera de nombre Carmen González alias Carolina, natural de la vereda Santa Rita de Ituango Antioquia, quien hacia parte de la guardia personal de Reyes. En un abrir y cerrar de ojos nos juntamos. Ella fue mi compañera durante el tiempo que duró el curso para pistolero. Nunca supe como o porque ingresó a las farc, ni porqué hacia parte de esa compañía de seguridad. Era muy reservada en tales asuntos.

El curso fue dictado por un nicaragüense y tres cubanos, según decían militares en servicio activo de sus países de origen. La programación se dividió en dos partes. La primera etapa fue un intenso entrenamiento de tiro con subametralladora y pistola, desde las posiciones de pie, de rodillas y de tendido, contra blancos móviles, fijos y sorpresivos. Luego aprendimos a manejar motocicleta para practicar tiro desde esos vehículos en movimiento a diferentes velocidades. Los puntajes para aprobar las prácticas eran 5 de 18 impactos con subametralladora MP5, o 4 de 8 con la pistola calibre 9mm.

Recibimos instrucciones teóricas de balística, conocimiento detallado de todo tipo de armas cortas, cálculo de distancias, mecánica de motos, etc. Fue un trabajo intenso durante casi cien días, al final de los cuales me separé definitivamente de Carolina y nunca más supe de ella. Regresé al frente 17 y no al 25 de donde salí para iniciar el curso.

Volví a encontrar a Alonso y Edilberto, quienes con adulación me dijeron:

- Gracias a los buenos resultados del curso, el secretariado lo devolvió para este frente, pues ha venido de nuevo aquí para *hacer unos trabajitos* en los que se necesitan buenos tiradores, y sangre fría, para limpiar el pueblo de los parásitos que impiden abrir paso al cauce de la revolución socialista-

Los dos jefes hicieron contactos con la red urbana de Neiva para que consiguieran falsos documentos de identidad que yo portaría con el nombre de Rubén Darío Arizmendi Sánchez. Antes de iniciar la puesta en práctica de los conocimientos como *pistolero*, participé en el secuestro del señor Napoleón Gaitán en cercanías de Colombia Huila. No tuvimos compasión con él pese a que estaba bastante enfermo. Lo llevamos desde la hacienda de su propiedad hasta el páramo en un sitio llamado La Nevera. Al cabo de tres meses sus familiares pagaron 75 millones de pesos y nosotros lo dejamos en libertad.

Con el indefenso secuestrado pasamos cerca de la finca de mi mamá en la vereda Galilea de Colombia Huila, pero los campesinos ni me reconocieron. Tampoco entré a la casa, aunque sentí ganas de hacerlo para absolver un poco de curiosidades. Quise saludar a mi mamá pero las reglas de la revolución lo impidieron, además que necesitábamos ganar tiempo para movernos rápido con el secuestrado, previendo que de pronto los familiares informaran a las autoridades, que con la información de primera mano pudieran salir a buscarnos.

Terminado el desesperante trabajo de custodiar al secuestrado, Alonso me dijo con tono frío y pausado:

- Ahora si le llegó la hora del *trabajito para matar sapos y reaccionarios*. Va a salir para Neiva con cuatro compañeros. La lista de *enemigos por ajusticiar* es de 60. Apunte fino y no falle. Ahorre recursos. No malgaste nada, sea un buen revolucionario-

El plazo que me dieron para asesinar las 60 víctimas fue de cuatro meses. La lista incluía desertores del movimiento, campesinos, comerciantes y activistas de la Unión Patriótica que no compartían algunas directrices de la regional del partido comunista o de las farc en el Huila. Los cargos contra los sindicados no eran concretos, pero había que matarlos porque esa era la orden del secretariado. Todo era el resultado de chismes, rumores o de la enclaustrada tendencia *fariana* de encontrar traidores y espías por todas partes, ubicados por un enemigo las mas de las veces imaginario.

El *comandante* Alonso firmó la *orden operacional*, un documento rústico elaborado a mano, con los nombres y algunos datos de las víctimas con la misión de *eliminarlos por ser enemigos del pueblo y de las organizaciones en armas*. Si yo culminaba el trabajo antes de tiempo, podría estar unos días en Neiva con la complicidad de los enlaces del partido y los guerrilleros urbanos comprometidos en la misma misión.

En dos meses y veintiocho días cumplimos la misión de la orden operacional, es decir que ganamos un mes y dos días de descanso remunerado costeado por los *camaradas*. Deduje que procedieron así por si necesitaban asesinar a alguien mas, ahí estábamos a la mano.

La *orden operacional* dispuso el asesinato de 15 personas en Tello, 7 en Campoalegre, 20 en Neiva y las otras 18 en diferentes veredas de esos municipios. Edilberto nos entregó los documentos de identidad falsos, revisamos las armas, las municiones y todos los implementos necesarios para consolidar la ejecución del plan. Frente al monumento de la Cacica Gaitana tomamos contacto con Rodrigo, Alberto y Robinson, tres guerrilleros urbanos de Neiva, y con Félix Guzmán un importante activista del partido en el Huila.

El saludo de Guzmán fue de este talante:

- Bienvenidos *camaradas*. La coyuntura política actual de la tregua con el gobierno de Belisario, exige acciones coordinadas en las cuales lo político y lo militar vayan de la mano. Conocemos de antemano la importante tarea revolucionaria que tienen por delante. El partido es consciente de lo fundamental de la misión, por lo tanto estaremos atentos para *asistirlos* con lo que necesiten. Estén comunicando como evolucionan las cosas, porque todo se debe evaluar a nivel de partido. Ahora que hay fuerzas oscuras del gobierno empeñadas en acabar con la Unión Patriótica (UP), debemos eliminar todo el lumpen y los reaccionarios-

Recibimos una camioneta con platón marca Ford, dos motos nuevas, dinero en efectivo, ropas, zapatos, relojes, revistas que hablaban de la UP, el libro El Estado y la Revolución escrito por Lenín, varios ejemplares del semanario Voz órgano de difusión oficial del partido comunista colombiano, y otras cosas para que tuviéramos esparcimiento sin dejar de complementar la formación política que nos impidiera caer en los *vicios burgueses del capitalismo.*

Aquella noche bebimos dos botellas de aguardiente en la casa de Félix Guzmán, donde brindamos por el deseo de llevar a buen término la misión. Como será de efectiva la reticencia de la propaganda comunista, que cuando pasé a descansar comprendí que a fuerza de leer y escuchar tanto tiempo la cantaleta del ejército rojo entrando victorioso a Moscú, de la revolución roja, de la idolatría hacia Lenín, de las argucias diplomáticas de Kruschev, de los discursos de Andropov, de la estrategia del terror de Stalín, yo también era uno de esos idealistas a ultranza que ve con buenos ojos las *purgas internas.*

Quería ser igual o superior a José Fedor Rey aquel guerrillero de las farc que en 1984 fundó una disidencia en el Cauca y de un solo tajo asesinó a 200 *compañeros farianos*, porque *faltaron al partido y la organización.* Es tan grave la situación que sentí felicidad por matar personas de quienes apenas supe el nombre, porque equivocado creí defender causas populares legítimas. El lavado cerebral en la guerrilla es aterrador.

Aquella noche concretamos la organización y funcionalidad del grupo que sembraría el terror en el Huila durante un año. Robinson quedó encargado de hacer todas las coordinaciones logísticas con el partido. Rodrigo manejaba la camioneta y yo sería el *comandante militar* de todo el grupo encabezado por Alberto. Los demás acompañantes eran a veces guerrilleros urbanos u otros que enviaban los frentes. Nunca anduvimos amontonados, sino dispersos pero con coordinaciones precisas.

Con cierto nivel de alcohol en la cabeza, Félix repitió eufórico:

- Soy el *comandante político de la operación limpieza*, por ende no olviden que en todas las guerras lo político va por encima de lo militar-

El día siguiente salimos con la camioneta y las dos motos para Tello. Era agosto de 1985. Antes de llegar hasta allá guardamos el vehículo en el corregimiento de Fortalecillas en la casa de Nicanor Triana, un auxiliador nuestro y miembro del partido encargado de la asistencia logística de las farc en esa zona. Las caras alegres de quienes elevaban cometas esa tarde, estarían luego entristecidas con la noticia de la masacre que cuatro guerrilleros entre ellos yo cometeríamos en horas de la noche.

Las primeras víctimas eran o copropietarios, o administradores de una gallera. Teníamos sus fotos, además ya se encontraba un guerrillero urbano *haciendo inteligencia* para ubicarlos. A las siete y media de la noche entramos a la gallera con las armas escondidas debajo de los ponchos o de las amplias camisas. No hubo policía de requisas. Los siete hombres estaban sentados frente a una mesa tomando aguardiente y hablando de las apuestas a los gallos giro, colorado, saraviado, blanco, etc. Con frialdad llegamos hasta la mesa y sin mediar palabra les disparamos.

Gritos, caos, confusión, lamentos y llantos. Salimos de allá, montamos en las motos, mas adelante les cambiamos de placas e iniciamos la búsqueda de los otros ocho que estaban en la lista. La policía fue insuficiente para atender la emergencia. Lo cierto es que de manera increíble matamos a los otros ocho en sus casas o en las calles del pueblo. Regresamos a Fortalecillas, sacamos la camioneta y luego seguimos para Neiva.

Aquella trágica noche en una casa acribillamos a tiros a tres hermanos sin la más mínima misericordia por los niños que se aferraron de nuestras piernas para clamar compasión. Trágica experiencia que conmovería hasta el más rudo de los mortales. Durante la comisión de los homicidios nadie contraatacó. La sorpresa fue total. La policía llegó tarde, inclusive los vimos pasar para Tello cuando ya estábamos en Fortalecillas guardando las motos y las armas. No hubo Ejército en el sector, nadie nos delató. Tampoco nos identificamos como miembros de las farc para que no se fuera a romper la tregua con el gobierno de Belisario Betancur. La idea era aparentar que éramos miembros de organismos del estado, asesinando militantes de la Unión Patriótica.

Ubicamos el cuartel clandestino en un hotel pensión cerca al barrio Las Granjas de Neiva. Dormimos hasta las tres de la tarde del día siguiente. El *camarada* Carlos Gómez consumado activista de la Unión Patriótica en el Huila, nos invitó a su casa para celebrar el rudo golpe contra los *reaccionarios de Tello*. Manifestó que sus hijos eran miembros de la juventud comunista que estaban ansiosos por conocer guerrilleros de carne y hueso encargados de tareas similares y ojalá con experiencia en combate, y no los que veían por televisión.

Hicimos una reunión familiar en la que bebimos trago, comimos y bailamos muy divertidos. En la fiesta conocí a Nancy Gómez, con quien tuvimos empatía desde el principio y como era de esperar pensé en hacerla mi compañera sentimental mientras estuviera en Neiva. Inicié los filtreos con los resultados que mas adelanté contaré. Antes de regresar al hotel, Robinson habló con uno de los *urbanos* para cambiar la pintura de las motos porque creía que ya pudiéramos estar *quemados*.

Al día siguiente recibimos motos nuevas con todos los documentos en regla, pues las otras las llevaron para cambiarles el color en un taller en Ibagué. Partimos para Campoalegre. Localizamos la primera víctima en un salón de billar del cual era propietario. Sin dar vueltas al asunto lo matamos. Permanecimos en el sector donde en acciones diferentes, murieron otras seis personas por las balas disparadas por el grupo de ajusticiamiento.

Cerca de nosotros se movía un pequeño grupo de seguridad encargado de transportar varias mudas de ropa, balacas, sudaderas, tenis, gafas oscuras, diferentes cascos para motociclistas, pelucas, bigotes postizos, gorras, sombreros. Aunque tuvimos suerte de no caer en los retenes sorpresivos del Ejército, por poco nos atrapa la policía cuando estábamos *pelando* la última víctima, un joven jornalero hijo de un informante de la policía. Si no estoy mal, ese señor se había retirado del partido por divergencias con los dirigentes regionales, así como con Edilberto y Alonso.

La táctica aplicada para mantener la seguridad e integridad del grupo, fue el constante movimiento. Cambiamos varias veces de hotel para dormir y de restaurante para comer. Jamás tuvimos limitaciones económicas, por el contrario siempre nos sobró dinero para ejecutar el trabajo sombrío. Félix conseguía casi de inmediato lo que le pidiéramos, porque según el se estaban cumpliendo todas las orientaciones del secretariado. Con parte del dinero que recibimos compramos joyas, anillos relojes. Andábamos *embambados* es decir llenos de lujos.

Cuando terminó la tregua con el gobierno nacional, prolongada de manera inteligente por Jacobo hasta la primera parte de la administración del presidente Virgilio Barco Vargas, *tirofijo* ordenó a todos los frentes recoger las alhajas por que según sus palabras aprovechamos el receso de la guerra para el lucro y los beneficios personales y se nos estaban olvidando los verdaderos intereses de los revolucionarios, que luchan por el futuro político de un pueblo levantado en armas contra la oligarquía.

Al secretariado llegaron remesas importantes de relojes, cadenas, anillos, que *tirofijo* distribuyó entre los guerrilleros de su entera confianza y algunos los regaló a periodistas de otros países y personalidades de la vida nacional que en diferentes ocasiones visitaron *casa verde*.

En Neiva eliminamos a más de 20 personas entre ellas a dos agentes de policía que una noche entraron ingenuos a hacer una requisa en la discoteca El Bosquecito. Los dos uniformados ingresaron confiados al lugar y ordenaron prender la luz sin asumir ninguna medida de seguridad. Estábamos sentados en dos mesas diferentes acompañados por cuatro mujeres hijas de gente del partido. En fracción de segundos accionamos las subametralladoraas contra los dos agentes del orden, que cayeron muertos al piso. Dos policías que esperaban afuera corrieron a mirar que pasaba. Igual les disparamos y los herimos.

Mi acompañante esa noche era una jovencita del barrio Galán, lugar al que fuimos a celebrar con risotadas nerviosas, el hecho que matábamos gente y nadie nos atrapaba. Ornados por tantos elogios parecíamos y nos sentíamos indestructibles o demasiado listos. Con más experiencia y habilidad para matar, decidí cambiar de acompañantes para cada crimen. Así matamos a los 18 restantes.

Los homicidios fueron perpetrados en Vegalarga, San Antonio, La Gaitana, Baraya, Aipe, Villavieja y La Tatacoa, pero tuvimos que cambiar las motos porque en las emisoras del Huila comenzó a hablar acerca del grupo de sicarios que se movilizaba en varias motos Suzuki y una camioneta Ford. El partido siguió proporcionando lo que necesitáramos. Daba la sensación que los dirigentes disfrutaron las atrocidades con perversidad y sicopatía. Le poníamos mas garra a cada crimen para tratar de impresionar mas a las muchachas que nos veían como a unos héroes.

Quedamos de *vagos* un mes en Neiva con la complicidad de la regional del partido. Transcurrido cierto tiempo evidencié intereses económicos personales de los *camaradas* jefes, pues en los balances financieros justificaron gastos inexistentes con nuestra estadía, para así apropiarse de recursos de la organización y del movimiento armado. En ese momento inicié a cuestionar cómo serían los comunistas en el poder, si mientras estaban en la lucha por alcanzarlo eran asesinos y ladrones, ¿qué tal que lo consiguieran?

Una noche fuimos al exclusivo Hotel Plaza en el centro de la ciudad de Neiva y uno de los lugares más exclusivos de la sociedad *opita*. Los dirigentes del partido organizaron una fiesta para agasajarnos por la labor cumplida. Cambié de fisonomía. La presentación personal exterior de aquella noche distaba de la apariencia campesina del guerrillero llegado a la ciudad.

Nancy me arregló las uñas. Bien peluqueado y afeitado, fui vestido de manera impecable e inclusive lucí uno de los relojes robados a las víctimas. Es mas contratamos carro para el transporte de ida y venida y nos dimos el lujo de decirle que esperara ahí afuera que nosotros le pagábamos el tiempo ocioso. Parecíamos nuevos ricos que malgastaban los recursos de la organización. Esa noche propuse a Nancy que fuera mi compañera. Ella aceptó, no se si por conveniencia o porqué, pero cuando comenté al *camarada* Carlos Gómez, gustoso estuvo de acuerdo y aprobó mi petición. De pronto tenía miedo que yo lo asesinara debido a la oscura reputación de *gatillero* que adquirí en el grupo.

Esa noche hablaron de buscar la forma de asesinar a un ganadero rico de Neiva llamado Jesús Díaz Arenas, si la memoria no falla, sindicado de estar organizando unos grupos de autodefensa para matar guerrilleros en el Huila. Dijeron que los buenos comunistas y militantes revolucionarios, deberíamos estar muy atentos para *quebrar* a quien se torciera. Personalmente estaba más interesado en que llegara el momento de ir a dormir con Nancy.

Participé en una conferencia de la gente del partido en Neiva. Las conclusiones de ese plenum fueron llevadas a los frentes guerrilleros del Huila para valorarlas. Regresé al campamento del frente 17 con mis compañeros y el documento para análisis. Ya no estaba Alonso, enviado según comentaron para el frente 14 en el Caquetá. La nueva dirección del 17 era integrada ahora por Edilberto, Mario, Morales y Carlos Patiño. Rendí *cuentas operacionales*, con los subsiguientes elogios por los logros de la revolución.

- Los 16 millones de pesos utilizados en la operación son problema de la parte política y financiera de la organización. No nos preocupemos por eso, pues fueron invertidos en una buena causa- musitó Edilberto.

Al término de la autocrítica fueron sancionados dos de los hombres que anduvieron conmigo, porque *abrieron la boca* para contar que algunas veces tomaron trago y bailaron en discotecas de la ciudad. Por lógica natural los guerrilleros que estaban *enmontados*, sintieron envidia de las comodidades que tuvimos nosotros, pues de una manera u otra se enteraron de la verdad. Las sanciones fueron menores, gracias a que los jefes consideraron la matanza como un éxito operacional de las farc.

El 27 de noviembre salí de nuevo para Neiva al mando de un grupo integrado por Yessica, Ferney, Tula y Aníbal, con el encargo de asesinar a Jesús Díaz. Otro grupo de cuatro guerrilleros urbanos encargados de las labores de inteligencia, colaboraron en la ejecución del plan. El crimen se preparó durante cuatro meses con base en el esquema original. Alberto, Ferney y yo nos quedamos con las armas hospedados en un hotel, a la espera de la llamada telefónica para actuar.

Yessica consiguió empleo en una heladería ubicada cerca de al casa del señor. El responsable político adquirió un carrito para vender paletas y otros para comerciar dulces. Félix Guzmán tramitó ante la alcaldía los permisos para los vendedores ambulantes, que también se identificaron con documentos falsos.

Fueron 120 días de vida ociosa. Dormí hasta tarde, comí bien, tomé trago y salí a bailar con Nancy. Los domingos en horas de la tarde nos reuníamos a valorar el trabajo. El *cliente* nos resultó difícil de golpear porque no asomaba solo a la calle. Cuando salía al garaje ahí ya estaban los escoltas y fuera de eso ingresaba de inmediato dentro del jeep. Abrigábamos la esperanza que algún día quedara solo pero la oportunidad no se daba.

Pasé el 24 y 31 de diciembre de 1985 en la casa de Nancy. Otras veces salimos a divertirnos en el estadero El Cruce, o en los Almendros o en los Termales de Rivera. Fueron días de mucha felicidad en los que más de una vez, pensé en dejar atrás las ideas de la revolución para vivir como cualquier persona normal.

A finales de febrero y comienzos de marzo del año siguiente, el partido y las farc ya estaban pidiendo resultados concretos. Querían que matáramos a Jesús Díaz, porque la tarea estaba saliendo costosa, máxime que la gente de finanzas seguía el saqueo de los recursos justificados con gastos inexistentes. Mejor dicho sentían pasos de animal grande.

Un sábado por la mañana recibí una llamada telefónica. Al otro lado de la línea estaba Yessica:

- Johny: la cuestión acabó de llegar. Haga lo posible por llegar rápido para ver que pasa-

Ferney prendió una moto y Alberto la otra para alertar al resto del grupo, sobre todo para avisar a los compañeros del partido que tuvieran cerca la camioneta para escapar. Yessica se retiró de la heladería y los dos vendedores ambulantes se fueron para el lugar donde estaba la camioneta. De allí saldrían para un hotel preacordado en Campoalegre, donde nos encontraríamos todos a las diez de la noche.

Subimos a la moto con las armas listas para ser accionadas. Por primera vez en cuatro meses de seguimientos la víctima estaba parada frente a su residencia, ensimismado con la pertinaz llovizna que caía esa mañana sobre la calurosa capital huilense. Ferney manejó la moto con destreza. Bajó la velocidad cuando pasamos frente al señor. Accioné la subametralladora MP5 contra la víctima de turno. La descarga fue certera. Los 18 tiros hicieron impacto en la humanidad del ganadero.

El hombre cayó al suelo. Apresurados seguimos de largo. Aparecieron los escoltas que de inmediato se trenzaron con nosotros en una cinematográfica balacera. Ferney apretó el acelerador de la moto. Los perdimos de vista.

Pasamos por el hotel, pagamos la cuenta, sacamos las pocas pertenencias que nos quedaban y partimos para Campoalegre. Por la radio comentaron los noticieros que el herido falleció en una clínica. Uno de los impactos le entró *en medio de los cachos*[29], como decían con burlas los participantes en el acto.

Retornamos al campamento de Vegalarga para hacer la evaluación crítica del trabajo. Allí estaban unos comisionados del partido provenientes de Bogotá con el encargo de dar a conocer las propuestas y posiciones de los *camaradas* referentes a la elección popular de alcaldes, que se gestó desde entonces.

En otro escenario de la política nacional el M-19 rompió la tregua. La guerra se intensificó en el Cauca. Llovían ácidas críticas contra Carlos Pizarro Leongómez. Se analizó la posibilidad de proponer al secretariado el *ajusticiamiento* de Pizarro, con el fin de bajar al M-19 el perfil de guerrilla *camorrera y belicista,* que quería la revolución de un día para otro. El adoctrinamiento permanente cala. Hasta ofrecí mis servicios para ir a cometer el crimen.

Los urbanos de Bogotá me llevaron a la capital de la república con la misión de eliminar a cinco personas según ellos informantes del batallón de inteligencia Charry Solano. Nos alojamos en Bosa en la casa de unos miembros del partido. En 15 días hicimos la operación limpieza. Matamos tres de los sindicados. A otro lo ultimamos a tiros una tarde en la Avenida Boyacá y a otro en Soacha cuyo cadáver fue arrojado a la laguna del Muña. Una estudiante de sociología de la Universidad Nacional, fue quien sirvió de señuelo para engañarlos.

---

[29] El disparo hizo blanco en la frente de la víctima.

Uno o dos años después vi a esa muchacha en uno de los campamentos de Cano en actividades de formación política de cuadros. No niego que me impresionó muchísimo ver la enorme capital de la república, con el atafago del transito urbano, los afanes de las gentes, las grandes avenidas llenas de árboles verdes, la imponencia de Monserrate, el enorme complejo comercial de Unicentro y los supermercados de cadena que ya empezaban a tener fuerza en la vida capitalina. También fui hasta el aeropuerto El Dorado con el deseo de ver aterrizar y decolar aviones. Todo eso me parecía increíble.

Al regreso de Bogotá Edilberto, se enteró de los comentarios que hice a algunos compañeros acerca de lo que había visto en la capital colombiana y por ende ordenó:

-Johny, usted debe hacer un curso militar y político, para refrescar las ideas revolucionarias, porque tiene mucho tiempo fuera del frente, no ha vuelto a tener contacto con las masas campesinas ni con la vida en la montaña, y hasta puede hacerse vuelto citadino y de pronto se puede *torcer*, o sea que puede haber adquirido vicios propios de la burguesía. Si no fuera por la importancia de *los sapos* que liquidaron en Bogotá le diría que el presupuesto de gastos estuvo muy alto-

Después del curso ordenado por Edilberto, volví a salir del campamento con destino a Gigante, La Plata, El Hobo y Pitalito, zona del frente 13, quienes no tenían gente experta para manejar con efectividad las armas cortas contra el enemigo. La *chorizada* (lista de personas por asesinar) era de 30. Pedí tres meses para cumplir la *orden operacional número 3.*

Planeé las cosas muy bien para estar con Nancy en Neiva. Distribuí el trabajo por grupos, ya que era muy importante para la organización que otros guerrilleros fueran ganando experiencia en este campo. Esta vez éramos ocho compañeros con identidades y documentos falsos, que teníamos a disposición ocho motos y dos camionetas suministradas por el partido.

Con cierta periodicidad se cambiaron las placas de los vehículos. Cobramos giros con fraudulentas cédulas de ciudadanía y nos registramos en los hoteles con otros nombres, para no dejar pistas ni rastros. El acuerdo fue separarnos por parejas. A unos les tocó matar de a siete y a otros de a ocho. Jugamos con los crímenes como si eso fuera intrascendental. Así es la vida diaria de las farc: matar, robar, engañar, mentir, enriquecer las arcas de los representantes de la ideología violenta, y vivir esclavos de la persecución interna que degenera en purgas alevosas.

En mes y medio eliminamos otras 30 personas. Nos quedó otro lapso similar para parrandear en Neiva, pues para mí era imprescindible estar con Nancy. El partido nos ayudó a mentir porque así justificaban gastos de operación inexistentes.

Al término de la misión Nancy se despidió con la convicción de una revolucionaria inexperta:

- Johny, usted me hace mucha falta, pero creo que las farc lo necesitan más-

Sin ningún asomo de tristeza por dejar atrás a otra mujer, pues en verdad no quería a nadie quizás ni a mi mismo, ya que buscaba el placer del sexo y listo, regresé al campamento de La Urraca para presentar al *camarada* Edilberto el informe de los *ajusticiamientos*. Pocos días después, tal vez dos o tres semanas mas tarde, llegó la comunicación del secretariado en la que se ordenaba mi traslado para el frente 25, porque allí necesitaban realizar algunas acciones de comandos urbanos contra unos *reaccionarios* en Ibagué.

El desplazamiento fue inmediato. Al entrar al campamento del 25, encontré a Luz Marina mas linda que nunca y aunque ella vivía con Roldán, le propuse a hurtadillas:

- Quiero que revivamos viejas épocas y que esta vez si podamos unirnos -

- Claro Johny, usted sabe que en el fondo yo lo amo. Pero la verdad es que me comprometí con Roldán pues nunca imaginé que usted regresaría por acá. Hasta presentí lo peor pues supimos lo que le pusieron a hacer por allá en el Huila y en Bogotá. Esta noche que no está Roldán vaya a mi *caleta* pero no se deje pillar de nadie- aseveró Luz Marina.

Aproveché la oportunidad. Recostado en la hamaca esperé que fueran las 12 de la noche, hora en que fui a cumplir la furtiva cita amorosa, con tan mala suerte que en la madrugada al salir de la carpa de Luz Marina, ahí estaba Abel, quien también estaba *tragado* de la joven. Mejor dicho sorprendido con las manos en la masa.

- Johny, hace dos horas que estaba buscándolo. Desde que entré de relevante vi su *cambuche* desocupado y el fusil solo. Sospeché que andaba aquí donde Luz Marina. Escuché todo lo que hablaron y luego los retozos que dieron *chilinguiando*-

Quedé mudo. Increíble que alguien acostumbrado a tantas vivencias macabras se impresionara por esto, pero así lo experimenté. Guardé silencio de culpabilidad. Agaché la cabeza y fui a alistar el armamento para entrar en atrincheramiento, pues ya faltaba un cuarto para las cinco de la mañana.

Durante toda la mañana no crucé palabra con Luz Marina, pues la enviaron con un grupo a hacer una exploración del terreno y llevar el desayuno de la gente que amaneció de seguridad en la avanzada. Terminado el almuerzo regresó una comisión de Roldán con el informe de resultados por la extorsión a unos campesinos de la zona.

Estábamos aseando las armas cuando sentí el golpe seco de una mano pesada en la espalda. Volteé a mirar y ahí estaba Roldán iracundo:

- Con que *culioncito*[30] ¿no?.... De manera que anoche me estuvo remplazando en la *caleta*. Si compruebo que eso es cierto, lo mato Johny. Esta no se la perdono a ninguno de los dos por faltones-

- Pues nos matamos, porque no soy manco, ni me tiembla el pulso. Usted bien lo sabe *camarada* Roldán. Además no es cierto que yo estuve en su caleta. Deben ser chismes de Abel que parece una sirvienta-

El tono de las ofensas fue creciendo. Los guerrilleros nos separaron y fuimos llevados a la dirección del frente donde Robin Mur, quien escuchó las versiones y ordenó que trajeran a Luz Marina, pero ella llegó hasta la mañana siguiente, mientras yo estaba en otra exploración. No se que hablarían, lo cierto es que esa misma tarde recibí la orden de regresar al frente 17, donde me destinaron a una compañía que estaba por los lados de Santa Ana Huila.

Regresé al Huila cabizbajo y muy meditabundo alrededor de lo que estaba sucediendo. Detuve la marcha cerca de una cascada que generosa seguía el curso de su vida cíclica en la profundidad de la montaña. Hice un breve examen de los años anteriores y de las mujeres que había poseído como una propiedad y no como seres humanos que me amaran.

Recordé mucho a Yazmín y recapacité que tal vez actuaba así o quizás era un castigo por haber ahorcado a una niña o

---

[30] Sinonimia de enamoradizo o donjuanesco.

asesinado a una anciana a orillas de un río. Un tremendo sentimiento de culpa relacionado con mi comportamiento frente a las mujeres me invadió en aquel paraje solitario. Aunque parezca mentira, lloré desconsolado, hasta quedar dormido debajo de la saliente de una voluminosa roca adyacente al camino de herradura.

Tres o cuatro horas más tarde fui despertado por los ruidos de las botas campesinas en el piso. Como guerrillero experimentado y campesino habilidoso coloqué la oreja contra el suelo. Por los ruidos calculé que eran ocho o nueve personas. No había duda era la comisión enviada para llevarme al nuevo grupo. Salí a su paso.

Después del descanso de los contactos y la merecida ducha en la cascada almorzamos arroz y carne asada que traían los compañeros en los morrales. De allí partimos para el campamento donde me esperaban. Noté que algunos de ellos me miraban con cierta deferencia debido a la leyenda que constituían los relatos de los ajusticiamientos realizados.

De formación campesina pero con buenos conocimientos de la vida urbana, Morales el comandante de esa compañía es muy drástico. Su sueño es ver la guerrilla entrar triunfante a Bogotá. Un iluso más de tantos que conocí en las farc. Lo defino como un hombre demasiado desconfiado, que ve fantasmas a toda hora, en particular con la obsesión de tener gente del Ejército infiltrada en sus filas.

Como llegué mal recomendado recibí la orientación de comandar una mini escuadra integrada por Marcel, Juan, Oscar Julian y Héctor a quienes investigaban por ser los presuntos infiltrados, sindicados de hacer *grupismo* en contra de la organización, es decir de aliarse para no cumplir los quehaceres *dilatando intencionalmente el proceso revolucionario*, a la vez que sembraban la semilla del descontento entre *la guerrillerada*.

Quedé al mando de los sindicados, pero al cabo de unas pocas charlas con ellos, comprobé que no eran infiltrados sino personas inconformes y criticonas frente a muchos de los procedimientos de la organización, que para remate de su desgracia, murmuraban algunas orientaciones que consideraban absurdas, es decir tenían un concepto mas liberal de la revolución que en cierta medida era compartido por muchos guerrilleros mas. Edilberto ordenó el consabido *consejo de guerra* en el cual resultaron culpables. La decisión final aprobada por Marulanda fue fusilarlos a todos.

Descubrí que Morales ordenó que me investigaran por *debajo de cuerda*. Fusil en mano fui armado hasta su caleta y le pregunté:

- ¿Cuáles son las razones que tiene para desconfiar de mí?-

- Johny: Yo creo que usted no debe andar en eso de la infiltración, pero lo estamos observando por medidas de seguridad. Ellos eran cuatro infiltrados. Usted no hizo mayor cosa por *meterlos en rienda*[31], antes por el contrario les dio la larga. Mejor dicho manchó su reputación de buen guerrillero. Sin embargo espero que usted no haya cometido los errores que llevó los infiltrados al *hueco*-

Luego me miró de arriba abajo y dijo:

- Como se quedó sin subalternos, vuelve a ser un guerrillero normal, para que pague por la indisciplina que demostró en Neiva y luego con el caso de infidelidad con *la socia del camarada* Roldán. A partir de hoy va a *ranchar* y a dictar 15 charlas de reglamento a los compañeros. Lo único que le dejo es el armamento para que *preste la posta*, pero solamente en las horas que esté de turno.

---

[31] Entrar en cintura, ordenar, organizar, llevar a cada quien a su lugar.

Cumplida la sanción, en diciembre de 1986 fui enviado a otra compañía que estaba cerca del río Papamene en misiones de seguridad para los miembros del secretariado ubicados en *casa verde*. Allí pasé el último día del año, fecha que es trascendental para todo miembro de las farc desde *tirofijo* hacia abajo. A principios de enero recibí la instrucción del secretariado para ir hasta Neiva a hacer *un trabajito*. Jamás llegué a imaginar que cumplir esa tarea fuera a convertirse en una de las peores etapas del turbulento tránsito de mi vida por la guerrilla.

La misión era ultimar un señor llamado César Augusto Quintero, señalado por los agentes de *inteligencia fariana* como organizador de grupos paramilitares, enemigo del comunismo e informante del Ejército. Igual que en los casos anteriores, no hice ningún esfuerzo para verificar la veracidad de la información, ya que por orden superior lo mío se limitaba a *matar los enemigos de la revolución.*

Con base en la experiencia de las *limpiezas* anteriores, coloqué las *fichas* a *camellar*. Esta vez ya no fui donde Nancy, pues estaba *sicosiado*[32] con las amenazas de Morales para llevarme a un *consejo de guerra*.

Al tercer día recibí la esperada llamada telefónica de Yessica.

- Listo Johny. ¡Salió el pedido!-

Ferney encendió la moto, raudo alcanzó el vehículo conducido por la víctima frente a la gasolinera ubicada en la salida para Campoalegre. Disparé la subametralladora MP5 contra el conductor del jeep que se estrelló contra el andén y se volteó. Murieron todos los ocupantes, un señor su esposa y una niña de cinco años. Regresé al lugar de concentración del grupo, pero no encontré caras felices si no miradas de reproche. Todos estaban atónitos.

---

[32] Atribulado.

Yessica me miró fijo a los ojos y exclamó preocupada:

-Johny: ¡*la cagamos!*. Usted mató al secretario regional del partido comunista-

Confusión total de principio a fin. Los encargados de *pasar la inteligencia* acerca del muerto suministraron datos equivocados. Perdí el control. Quedé desconcertado. Los demás guerrilleros se retiraron con cautela. Desaparecieron las motos y la camioneta. Mis compinches escaparon para siempre de las farc, porque sabían que al presentarse ante cualquier *comandante* no saldrían vivos del delicado trance. Todos conocían la dureza de los temibles consejos de guerra revolucionarios.

El muerto era parecidísimo al señor que queríamos asesinar. Ambos utilizaban bozo, eran gordos, de la misma edad y para colmo de coincidencias, poseían un jeep de la misma marca y del mismo color. El error de los agentes de inteligencia fue no verificar el número de las placas antes de pasar la información. En esa tarea fallaron ellos y por lo tanto son los responsables de mi error, aunque reconozco que tengo la culpa por no haber asumido con mayor detalle la función de *comandante del grupo*, como sucedió en ocasiones anteriores. Demasiada confianza mata o genera muchos problemas.

Tuve la oportunidad de escapar pero no lo hice. Asumí la responsabilidad revolucionaria de *ir a poner la cara* para lo que fuera. Después de cuatro días de pensar bien las cosas fui donde los *camaradas* del partido comunista en Neiva. Toda la Unión Patriótica estaba indignada. Me dijeron que fuéramos hasta el campamento para hablar con Edilberto, pero no me cabe la más mínima duda que en sus mentes albergaban la secreta decisión política que recibiera un juicio ejemplar con *fusilamiento* incluido.

Al llegar al campamento, los delegados del partido comunista rindieron en privado un informe a Edilberto y los miembros de dirección. Pasé a la comida, asistí a la hora cultural y luego fuimos a dormir sin que en apariencia ocurriera nada. Los delegados del partido siguieron hablando en voz baja con los *camaradas de dirección.*

Presentí que iba a ser amarrado, pero los demás compañeros me decían:

- Tranquilo Johny, no se preocupe que aquí todo el mundo sabe que usted no es culpable-

No creí del todo en la aparente sinceridad, pero por elemental lógica, no podía demostrar temor, pues era necesario aclarar donde estuvo el error de la muerte del secretario general del partido en la regional del Huila, pero había otros agravantes. Al problema del muerto se sumaban la pérdida de las armas, la deserción de los demás guerrilleros y el incumplimiento de una misión revolucionaria. Como era el comandante militar destinado para ejecutar aquella *orden operacional,* debería responder por todo eso. Estaba en la sin salida.

Capítulo IV

Los consejos de guerra revolucionarios

-¡Quieto ahí triple hijueputa¡... ¡Tiéndase o lo matamos! La ofensiva y amenazadora frase salida de los labios de Mario me dejó frío. Esperaba ese momento, pero nunca imaginé que fuera tan dramático. Sentí una corriente de aire helado que recorrió todo el cuerpo. Mi corazón latió desaforado. Reviví por unos segundos la imagen de John Freddy, seis años antes cuando en otro campamento también bajo el mando de Edilberto, fue encañonado y llevado amarrado como una ovejita rumbo al degolladero, después de haber sido un tirano con los tres guerrilleros que Alonso iba a matar.

Quedé aislado del campamento y amarrado con una soga al cuello, de tal forma que si pretendía correr el nudo me ahorcaría. Reviví la película de Olguita y el *bobito* Walter, la fatídica tarde que tomé sangre humana. Los centinelas, inclusive aquellos guerrilleros que cuando llegué al campamento dijeron que no sucedería nada, asumieron la consabida actitud displicente como es usual en estos casos, para evitar que los relacionaran con un sindicado.

Presa del pánico y de la impotencia hice un recorrido mental por la vida. Recordé la inocencia infantil truncada por la violencia, las súplicas de mi madre, los consejos de los profesores en la escuela primaria, las competencias de ciclismo, las mujeres que engañé y cada uno de los crímenes cometidos hasta la fecha.

- Tal vez estoy pagando caro por lo que hice a otras personas. Pero juro ante Dios y ante ustedes que soy inocente, que yo no maté intencional ni premeditadamente al *camarada* del partido en Neiva. Los verdaderos culpables escaparon- dije a uno por uno de los centinelas.

Pero ellos no podían hacer nada diferente a cuidar que no escaparan y guardar silencio, por temor a que los sorprendieran hablando conmigo. Así es la forma de supervivir en la guerrilla y yo lo sabía de antemano.

Permanecí 16 días amarrado. Edilberto y Mario indagaron sin cesar. La actitud displicente de los dos jefes sumada al cargo imputado de permitir la deserción de los otros guerrilleros con armas y materiales, indicaban que tenía los días contados. En forma permanente me llamaron infiltrado, vendido, *volteado* e inconsecuente con el movimiento revolucionario. Peor que en un campo de concentración nazi. Sin duda la vida pasaba una cuenta de cobro bien merecida.

Resignado acepté la eventualidad de la muerte violenta. En sí, esperaba el día del fusilamiento. De antemano sabía que el consejo de guerra era un formalismo para justificar asesinatos predeterminados. En el entorno de la guerrilla *no hay que dar papaya* y desafortunadamente la dí. Hasta pensé que las farc necesitaban deshacerse de alguien que conocía muchas cosas y que si los denunciaba en ese momento torpedearía la trama de la paz que tenían con el gobierno nacional.

Perdí peso corporal pues casi no comí con solo pensar que los alimentos estuvieran envenenados. El dilema no era la muerte sino ¿cuándo? y ¿cómo? llegaría. Aunque resignado a lo peor, por momentos de lucidez resurgía en mi mente ese apego a la vida, ese deseo de seguir existiendo. Es el mismo gesto de terror que vi en los ojos de mis víctimas.

Se cumplía al pie de la letra la sentencia cristiana:

- El que a hierro mata a hierro muere-

Resuelto a lo peor y familiarizado con la muerte encaré a Edilberto el día 16:

- *Camarada*: Si usted esta seguro que soy un infiltrado, fusílenme de una vez, no me juzguen en *consejo de guerra*. En la condición de revolucionario tengo plena conciencia que quien falla a los postulados del marxismo-leninismo, debe pagar los errores hasta con la propia cabeza si fuere necesario. Y si fallé estoy dispuesto a ponerla para que la revolución la corte, pero no soy ningún infiltrado-

Edilberto fijó sus ojos en los míos, y destelló una mirada perversa cargada de odio, pero no respondió a la súplica.

Ese día comenzó el *consejo de guerra*. Recordé el primero en que participé cuando llegué a las farc. Aquella vez yo juzgaba, ahora el enjuiciado. Es una dolorosa realidad incomprendida en la guerrilla. Con suma facilidad se olvida que en próximas oportunidades, el sindicado de turno será cualquiera de los votantes y ajusticiadores. Mario asumió el cargo de *acusador*.

Por norma interna Edilberto fue el presidente del *consejo de guerra*. Por razones emocionales y familiares escogí a Patiño para que hiciera la defensa, pues era el hermano menor de mi padre y además era uno de los miembros de dirección con más experiencia en la vida guerrillera. Jugué el todo por el todo.

Cuando tuve el turno para hablar expresé lo siguiente:

- Compañeros: Mi error fue actuar equivocadamente porque *los de inteligencia* fallaron. Por *matar a un sapo, maté a un camarada* del partido. Tanto el *presidente del consejo de guerra* como muchos de los aquí presentes me acusan de ser infiltrado, pero no comprenden que si lo fuera, ni de fundas habría venido a *poner la cara.* Soy consciente que los errores graves se pagan con la cabeza y si ustedes consideran que mi muerte por fusilamiento, es la solución para subsanar los errores cometidos, estoy listo para aceptar ese castigo.

Sentado en una butaca de madera Edilberto leyó los artículos e incisos del reglamento de las farc que a su juicio yo había violado, al mismo tiempo que agregó comentarios y juicios de valor de su propia cosecha, con los cuales me sindicó a plenitud para rematar la exposición con la abierta petición del *ajusticiamiento.* Ya no estaban los miembros del partido en el campamento, pues Edilberto les recordó que cuando se iban a tomar decisiones militares los reglamentos internos de las farc prohíben la presencia de civiles en el lugar

Mario acusó pero a la vez sugirió la absolución:

- Al compañero Johny se le acusa de ser *infiltrado* al servicio de los enemigos de clase. Lo conozco bien y puedo decir que no lo es. Como revolucionarios con visión humanística estamos para reconocer lo malo y lo bueno, los méritos y los vicios de los compañeros sindicados para que haya justicia. No nos podemos dejar llevar por lo que diga el primero que pasa o por las apariencias que engañan. Pienso que el compañero si cometió algunas fallas que deben ser sancionadas, pero como *acusador* quiero dejar bien claro que Johny no es in*filtrado.* Se los digo yo que me ofrecí voluntario para doblegarlo en la formación a sabiendas que me podía matar, pues todos sabemos que el compañero Johny es experto en el uso de las armas. Serán ustedes los votantes quienes decidan-

La exposición de Patiño fue breve:

- Me uno a la parte positiva de los argumentos expuestos por el *camarada* Mario referentes al acusado. Johny es un guerrillero valiente con experiencia y ejemplo de muchos combates. Además es imposible que *un infiltrado* haya ejecutado tantas tareas de limpieza a nombre de la revolución y a la vez nos traicione. La conciencia de los aquí presentes define la suerte de este hombre-

Hago un paréntesis para contar que pocos meses después del consejo de guerra en mención, Patiño desertó de las farc, sin confesar su pasado se presentó en el batallón Juanambú de Florencia para prestar servicio militar, pero para desgracia cayó en combate contra el frente 13 en límites de Huila y Caquetá. Es probable que Alonso lo hubiera matado entre los soldados que quedaron heridos y fueron acribillados.

Vino la etapa de la votación para definir culpabilidad o inocencia. Edilberto exigió que cada quien expresara un concepto verbal y público, de tal manera que se llevaría la estadística al instante.

Aurora la otrora jovial mujer que me ofreciera su apoyo cuando llegué las farc, fue la primera en tomar la palabra:

- Para bien del movimiento armado Johny debe ser fusilado-

Las palabras de la joven retumbaron en mi cerebro con aguda resonancia. El dicho guerrillero *tumba que zumba*, utilizado para significar cercanía con la muerte, salió inesperadamente de mis nerviosos labios. Las imágenes de los primeros enjuiciados aparecieron en mi imaginación como fantasmas al ataque contra la débil defensa que allí tenía.

El recuerdo de la joven desnuda menstruando y los comentarios de Darwin en el páramo acerca del ahorcado, asediaron a alguien que a pesar de estar acostumbrado a matar seres humanos no se resignaba a morir, ni sabía lo que es sentir la dimensión de la maldad en su propia carne. El defensor intervino e intentó contrarrestar los argumentos de los votantes pero el *consejo de guerra* continuó.

En silencio evalué la intención de voto de los guerrilleros que indicaba diferencia de cuatro votos en contra, pero lo peor es que faltaban los conceptos de 10 guerrilleros nuevos, recién llegados indoctrinados a proceder a favor del fusilamiento.

Sobrevino un receso de media hora.

Al regreso del descanso comenzó la etapa de votación.

- Arriba la mano quienes estén de acuerdo con el *fusilamiento*- 1, 2,3,4,5,6......48.

- La madre que de esta me salvé- dije en voz baja.

Edilberto hizo un rictus de impotencia y rabia combinadas, y exclamó:

- Ahora *los que votan* porque no sea fusilado- 1,2,3...5....12,....48

Faltaban los votos del jurado compuesto por Nayibe quien en adelante sería mi *socia de caleta,* Arnulfo mi socio de ingreso, Becerra, Robledo y Juan con quienes a duras penas tenía cierto grado de confianza. No obstante la tortura continuó porque se sentaron a deliberar ante la mirada inquisitiva y la presión sicológica de Edilberto. No se si por descaro o por arrepentimiento Aurora me trajo almuerzo pero rehusé recibirlo, pues no quería comer antes de morir para evitar lo que le pasó a la muchacha que ahorcamos, además porque conociendo el inusitado criterio de Aurora supuse que la comida pudiera estar envenenada.

Dirigí la mirada hacia *el ranchero*, quien en ese momento trató de ser compasivo conmigo. Dije:

- Si muero, díganle a mi familia que caí en un combate. Nunca vayan a decir que perdí la vida como un *traido*r, porque no lo soy-

Arnulfo se acercó y me dijo:

- No se preocupe Johny porque Becerra, Robledo y Juan también van a votar a su favor.

Amarrado de pies y manos debajo de un inmenso árbol de cedro, que a duras penas dejaba pasar la luz solar, nervioso escuché a Becerra proferir la lectura del veredicto:

- Hemos acordado que al compañero Johny se le debe dar una oportunidad, más para que viva, pero el error cometido debe ser sancionado drásticamente y sin contemplaciones-

La votación final fue 52 contra 49. Intervino Edilberto malhumorado frente a los resultados de una votación que por primera vez retó su autoridad hasta ese momento infalible e indoblegable:

- Esto es inaudito. Con estas actitudes de corruptela burguesa nos separamos de los postulados comunistas de nuestra organización. La justicia revolucionaria es para todos. Debemos repetir el consejo de guerra. Mejor dicho si Johny nos faltó, debe pagar lo mas caro que se pueda, o dejo de llamarme Edilberto y de ser el comandante de este frente-

Silencio sepulcral. Creí que el tipo ganaría pero no. Nadie habló más. Edilberto tomó entre sus manos la inseparable toalla cargada siempre sobre el hombro izquierdo, limpió el sudor de la frente y se sentó a escuchar la respuesta del defensor. La cantaleta no surtió efecto.

Tal vez algunos de quienes votaron a favor, pensaron en su pellejo y tal vez en que ellos con cierta antigüedad dentro del movimiento, poseían suficiente criterio para cambiar la oscura metodología de los *consejos de guerra* urdidos por Edilberto. Quizás la ausencia de Alonso no era suplida de igual manera por Carlos Patiño, Morales o Mario.

Patiño el defensor que cumplía al detalle el precepto la *sangre tira* interpeló a Edilberto:

- *Camarada*: Todo el mundo es libre de pensar para decidir en un caso tan grave como este, y no podemos colocar un revólver en la sien a las personas para que opinen-

Todavía amarrado presencié una verdadera algarabía que parecía ser el triunfo de mucha gente, antes cohibida ahora liberada, ante la sorpresiva derrota de la prepotencia de Edilberto. Claro que todos los allí presentes se consideraron jueces individuales con capacidad para aplicar una sanción ejemplar. Unos por que con la respuesta evitaron el crimen y otros porque sentían rabia que me hubiera salvado. Sugirieron desde laborar mucho tiempo en el rancho, construir cientos de metros de trincheras, hasta cargar 500 viajes de leña.

El jurado recogió todas las propuestas y después de un extenso análisis decidió:

- El compañero Johny debe permanecer un año sin responsabilidad política ni militar, tiempo durante el cual no podrá tener contacto con la masa. Como castigos accesorios bajo el estricto control y supervisión del *comandante de guardia*, debe hacer 30 *chontas* para basuras, cortar tres hectáreas de monte, permanecer tres meses desarmado, escribir 20 páginas sobre los deberes del buen revolucionario y dictar 10 charlas políticas a los guerrilleros acerca de los incisos que violó del reglamento -

El *defensor* soltó los nudos del lazo. Abrazos de unos guerrilleros. Felicitaciones de otros. Muchos de quienes votaron en contra, ni siquiera se acercaron porque pensaron que de pronto reaccionaría matándolos o dadas las circunstancias tendrían que disparar contra alguien peligroso. Aquel 21 de mayo recuperé la libertad de movimiento, perdida desde el 5 del mismo mes. Fecha inolvidable.

Edilberto encendió un cigarrillo Pielroja. Hizo varios globos con el humo. Sin duda estaba deprimido. No podría ser posible que el guerrillero mas viejo de Colombia, pues el se enguerrilló primero que *tirofijo* hubiera perdido una batalla frente a un *culicagado*, como me llamó ese día. Por esa razón no dio el brazo a torcer, sino que envió a Mario con el reporte a *casa verde* para pedir instrucciones a Jacobo Arenas. No obstante la insistencia de Edilberto, la orden fue perentoria para dejar así el fallo y el tema se cerró allí.

Sin embargo mientras cumplí el castigo, fui vigilado de manera minuciosa por algunos hombres de confianza de Edilberto. No se porqué llegue a pensar que no existió ninguna equivocación en la muerte del dirigente regional del partido, sino que Edilberto urdió la trama con agentes de inteligencia y desde luego necesitaba insistir en mi traición para opacar cualquier duda que pudiera surgir contra el. Aún no descarto que haya sido así.

Confieso que a partir del día en que me amarraron, operó un extraño cambio en mi personalidad. Aunque ya era ateo y comunista a ultranza, inicié a pedir ayuda y protección a la Santísima Virgen María e inclusive como ya lo anoté juré varias veces en nombre de Dios. En la medida que transcurrió el tiempo de la sanción, continué las súplicas y oraciones a Dios, para tener suficiente fortaleza que permitiera cumplir los castigos, con el afán de demostrar una y mil veces que no era un traidor. Así el espíritu superó las fuerzas físicas y cumplí todas las penas impuestas.

Mi vida sentimental en la guerrilla fue desordenada de principio a fin, como en casi todos los casos sucede al interior del movimiento armado. Dos meses antes del *consejo de guerra* tuve relaciones sexuales con Claudia una guerrillera menor de edad quien quedó en embarazo. Por ese motivo fue licenciada de la guerrilla, porque *la compañera faltó a la revolución al oponerse al aborto que le estaba orientando la dirección del frente.* A duras penas supe que tuvo gemelos. No se si estarán vivos, o si estudiarían o si lo que es peor ahora serán guerrilleros. Tan pronto licenciaron a Claudia, cortejé a Nayibe en el campamento donde se produjo el *consejo de guerra.* Mas adelante narraré los episodios de la vida en compañía de esta valerosa mujer cuando arreció la guerra. Para mantener el ego en alto y no dirigirme la palabra, Edilberto coordinó con el secretariado mi regreso al frente 25, todavía bajo la dirección de Robin Mur. Pero ya sin Roldán ni Luz Marina enviados abrir zona en el norte del Tolima.

A los pocos días el Ejército realizó una operación de contraguerrillas con tropas de la Sexta y Novena brigadas. Resuelto a morir para demostrar inocencia y lealtad con las farc, participé en varios combates en Las Pavas, La Vega, Galilea y San Pedro. Pese a la presencia militar en el área, Rubin Mur ordenó construir un campamento en Galilea[33]. Lucho, Argemiro y Jaime desertaron durante la ofensiva del Ejército. Los tres se presentaron en un cuartel en Neiva, donde ofrecieron servicios como guías de las patrullas. De inmediato los helicópteros descargaron más contraguerrillas en Galilea.

Para mantener la moral en alto y soportar la persecución Morales dejó consorna que eso se esperaba pues los tres desertores eran *infiltrados* que ya estaban detectados y que escaparon por que se sintieron descubiertos. En el cerco táctico murieron dos guerrilleros conocidos como Jonás *y el burro.* La verdad es que aparecían tropas en todos los cruces de caminos

---

[33] Galilea de Villarrica, Tolima, no la de Colombia, Huila.

y el campamento fue bombardeado con increíble precisión. Cuando el Ejército inició la ofensiva éramos 125 guerrilleros.

Al cabo de tres meses de combates quedamos 60, porque murieron 35 y otros 30 desertaron presionados por las condiciones del clima, el terreno y en general el desbalanceado ambiente operacional. Perdimos mas de 40 armas. Diezmados y desmoralizados anduvimos varios días mal comidos, mal dormidos y mal vestidos. La solución fue realizar un repliegue táctico hacia las frías cumbres del páramo de San Rafael.

Presa del pánico y del desespero Robin Mur, reunió a los guerrilleros que quedaban y suplicó lloroso:

- No me vayan a abandonar. Vamos a hacer una asamblea del frente y al que quiera salir se le dará la salida, pero no abandonen el movimiento armado en un momento crítico como el actual. Tengamos fe en *la revolución*-

La actitud vacilante ante el infortunio le costó a Robin Mur que Marulanda ordenara que le suspendieran el mando y que fuera hasta *casa verde* para rendir cuentas. Durante el pleno ampliado del secretariado de las farc realizado en 1987, Robin Mur solicitó una nueva oportunidad. *Tirofijo* lo envió a guerrear con el quinto frente en el Urabá Antioqueño.

Ante el estruendoso descalabro político y militar de Galilea el secretariado de las farc desactivó el frente 25, que volvió a ser la compañía Armando Ríos, dependiente del frente 17. Temeroso del reencuentro con Edilberto, regresé al frente 17, pero me informaron que ya no estaba allí, pues *tirofijo* lo escogió como el comandante general de su guardia privada. El nuevo jefe era Carlos Julio, un matón de la talla de Alonso. Quizás peor.

Carlos Julio era un hombre cercano a Jacobo Arenas, pues llegó a ser *ayudantía* del secretariado, algo así como un supernumerario con capacidad de visitar estructuras guerrilleras en cualquier parte del país y tomar decisiones de nivel. Carlos Julio nos reunió para explicar que las razones del cambio de comandante en el frente 17 obedecían a la dinámica de la guerrilla, pues el *camarada* Jacobo se deshizo de uno de sus directos colaboradores para entregar el más leal de los amigos al *camarada* Manuel Marulanda.

Partimos para El Dorado cerca de la Legiosa, donde se reunieron tres frentes guerrilleros en una asamblea de análisis, evaluación y autocrítica. Mientras algunos guerrilleros que teníamos mando planeamos una emboscada contra la policía cerca de Colombia Huila, como parte del inminente rompimiento de la tregua, otros guerrilleros estudiaron casos de indisciplina de algunos compañeros llevados a *consejo de guerra*. Una de las decisiones de la asamblea fue fortalecer y recuperar el frente 25 previa aprobación del secretariado.

Uno de los guerrilleros con problemas fue Iván, para colmo de males asignado a mi escuadra. Natural de Uribe Meta, Iván era hijo de una familia cercana a las farc. De filiación liberal, los padres y hermanos de Iván aceptaron ser parte de las farc, para no ser expulsados de la región por orden de Jacobo Arenas.

Así entró Iván a la guerrilla. Cuando lo recibí en la escuadra me comentó que sobrevivió a un *consejo de guerra* anterior por haber robado dos panelas y una lata de sardinas de *la caleta* de Carlos Julio, durante los azarosos días de la operación Galilea que también se extendió al área del frente 17.

En las reuniones de guerrilleros con mando escuché decir a Carlos Julio que la *orden de tirofijo* era *repetir el consejo de guerra* contra Iván porque un ladrón de *economía*[34] en situación

---

[34] Remesa, provisiones, alimentos.

de guerra, era un traidor, con el agravante que lo hurtado fue de la *caleta del comandante.*

Como lo sucedido me pareció una injusticia, llamé a Iván y le aconsejé:

- Vea hermano: Vuélese de aquí porque lo van a matar-

Iván siguió el consejo. Dejó el fusil abandonado, cerca del campamento para que yo no tuviera problemas por el armamento asignado a un subalterno. Por desgracia para él y para mí, lo capturó una comisión del 17 que estaba *recogiendo inteligencia* para ejecutar un secuestro. Atemorizado el muy desleal confesó la verdad. Carlos Julio ordenó tener al detenido fuera del campamento para que no notara que por segunda vez se me vino el mundo encima.

En ese campamento ya andaba *arrejuntado* con Johana pues las circunstancias me habían separado de Nayibe. Una noche estábamos en formación militar para el conteo de personal y verificación de las armas, cuando a mis espaldas escuché el tenebroso grito previo a la acción de amarrar a los traidores:

-Tiéndanse. No se muevan o los matamos-

La orden era para nosotros dos. Nos amarraron con la soga al cuello y el fatídico nudo corredizo. No obstante que ya tenía la experiencia del suceso anterior, soporté la peor tortura de la vida durante 31 días consecutivos, amarrado esperando la muerte. Eso es muy *verraco.*

Por la mañana llegó Carlos Julio al sitio donde estuve amarrado todo ese tiempo:

- Bueno Johny, si ordené que los amarraran es porque usted y la *compañera* Johana son infiltrados. Si se salvó en el anterior *consejo de guerra*, de este no pasa-

Quedé estupefacto. Sabía de los alcances de este tipo, que

inclusive podría asesinarme a sangre fría con la disculpa que intenté escapar. Otra vez vinieron los enviados del jefe para *colocar el sebo en la trampa*, con el fin de que les *contara la verdad*. Otra vez las torturas sicológicas. De nuevo las ofertas tendenciosas que si confesaba me soltarían. En fin episodios turbulentos que colindan con la desesperación.

Amarrado como un animal era paseado por las afueras del campamento, donde escuchaba gente trabajar con palas. Algunos guerrilleros intencionalmente enviados por Carlos Julio me decían:

- Johny ese es el hueco a donde lo van a enterrar si no dice la verdad-

Pero yo persistía en que no era infiltrado.

Un día se acercó Carlos Julio a *la caleta* donde estaba encarcelado. Sin disimular la evidente sonrisa de oreja a oreja, gesto por demás extraño en él, dijo:

- Si acepta que usted es infiltrado, le prometo por los *principios de la revolución,* que le perdonamos la vida y tomamos acciones mas importantes, si nos dice quienes son todos los que integran la red de infiltrados, porque tenemos información que usted no esta solo en eso. Hay más-

De nuevo, el conocido fantasma de la desconfianza rondaba entre los jefes del frente 17.

Entre la espada y la pared y ante la tentadora oferta, urdí una trama. Acepté ser infiltrado y aseguré que conmigo trabajaban Darwin, Roberto y Tito. Aclaré que Johana no tenía nada que ver en eso, porque ni siquiera conocía el plan.

Carlos Julio sonrió con maliciosa perversión y dijo:

-Se da cuenta *compañero* que por las buenas nos entendemos todos-

Nervioso pero con cara de satisfacción escribió en un cuaderno todos los datos que le suministré, se dirigió hacia la carpa de los jefes, dio la orden que soltaran a Johana, pero que la integraran en la comisión que salía para Uribe. Después los guerrilleros regresaron al campamento con el cuento que al cruzar el río la corriente la arrastró, versión que nunca acepté, pues siempre creí que Carlos Julio ordenó que la mataran, como hizo Alonso unos años atrás con Yazmín.

Hundí a Darwin y a los demás porque los tenía entre ceja y ceja desde el día del *consejo de guerra* ya que votaron en mi contra y cada vez que estuvieron de guardia fueron demasiado drásticos conmigo. Darwin parecía haber olvidado que el fue quien me incorporó a las farc y uno de los que me enseñó a matar seres humanos.

Como las acusaciones hechas fueron tan graves para la existencia de la organización, decidieron grabar todo el testimonio para enviarlo donde Alfonso Cano, con el propósito que lo valorara para ordenar una purga a nivel de las farc. Tal vez afanado para demostrar eficiencia ante sus superiores, durante los interrogatorios Carlos Julio imaginó contactos míos con agentes del B-2 en Neiva.

Hizo preguntas demasiado exageradas, que casi me obligaron a responder de manera afirmativa las conjeturas o suposiciones. Entretanto los otros acusados permanecieron ensimismados. No sabían que hacer. Negaban los cargos, pero naturalmente nadie les creía. También estaban *hundidos*.

Con tristeza y con impotencia recordé que la primera vez que estuve amarrado, se anunció la presencia del Papa Juan Pablo II en Colombia y pese a que esa visita significó condonación para muchos presos, a nivel de las farc ni se les ocurrió un perdón o algo por el estilo. Ahora que estaba amarrado por segunda vez, el gobierno declaró rota la tregua con las farc, debido a la muerte de 27 soldados de un batallón de ingenieros que construían una carretera en el Caquetá. Sin importar eso las farc continuaron empecinadas en hallar los responsables de la supuesta infiltración.

A esto se sumó la matanza cometida por José Fedor Rey y el hermano de Carlos Pizarro en el Cauca. De allí derivó la orden emitida por Jacobo Arenas al *compañero* Braulio Herrera para que hiciera una *purga de los infiltrados* en el Bloque del Magdalena Medio, oscura situación que después casi le cuesta la cabeza al propio Braulio, de no ser porque el comité central del partido comunista intervino a tiempo para salvarlo, a cambio de enviarlo a Europa como delegado de la colectividad política de izquierda ante las organizaciones no gubernamentales proclives a la subversión colombiana y como jefe de relaciones internacionales de las farc en el Viejo Continente, aprovechando los nexos con los delegados de las guerrillas centroamericanos destacados en esa parte del planeta.

Recibidas y analizadas las grabaciones, Alfonso Cano dispuso que me llevaran hasta su campamento, pues para el era de suma importancia hablar conmigo, dada la calidad y cantidad de la información contenida en los cassetes. Fui llevado por una comisión de guerrilleros hasta *Hueco Frío*. Maniatado, imposibilitado para caminar bien, atravesé trochas fangosas y ríos crecidos temiendo correr la suerte de Johana. Al llegar al campamento de Cano fui recibido por Bertulfo y Trujillo, dos guerrilleros expertos en inteligencia militar e interrogatorios.

De entrada Bertulfo aseveró:

- Johny, a usted lo conozco bien. Estoy extrañado con lo que contó a Carlos Julio. Para bien de la revolución necesitamos que cuente la verdad, porque es bien importante aclarar las dudas-

Temeroso de lo que pudiera suceder pero forzado por las circunstancias contesté:

- Mentí a Carlos Julio, esperanzado en que cumpliera la promesa de soltarme-

Bertulfo miró a mis ojos y continuó una interminable andanada de preguntas en cuyas respuestas evidenció que yo había manipulado la versión para ganar tiempo. Llegó el turno de la entrevista con Trujillo, quien acudió a una cantidad de triquiñuelas y ofrecimientos tendenciosos para tratar de esclarecer la verdad que ellos querían escuchar:

-¿Cuál es la verdad Johny?...¿Cuál?- inquiría persistente Trujillo.

- *Compañero* Trujillo, vivir es muy bonito y Carlos Julio me ilusionó con que salvaría mi vida si confesaba y aceptaba la responsabilidad de algo que no sé ni tengo la menor idea-

Como para los entrevistadores persistían las dudas, les sugerí que me permitieran hablar con *el camarada* Alfonso Cano, entrevista que se concretó para el día 3. No dormí en toda la noche agobiado por la incierta espera del momento de hablar con Cano. Esa mañana desayunamos a las siete, hora inusual para esa actividad en las farc donde todo el mundo madruga a tomar posición de combate en las trincheras.

Presentí lo peor cuando vi toda *la guerrillerada* reunida como para realizar un *consejo de guerra*. Inspeccioné mi cuerpo. Estaba flaco y paliducho. Había perdido más de 10 kilos de peso.

Llegó la tan esperada hora de la entrevista. Alfonso Cano lucía una fina camisa a rayas, gafas nuevas y tenía las uñas pintadas con esmalte transparente. Sus modales semejaron los de un alto ejecutivo de una compañía de la ciudad.

Para completar la sorpresa, Cano fue directo al grano y con tono amistoso dijo:

- Johny, he recibido buenos informes de los aportes que usted ha dado a la *revolución*. Mentir no es bueno, porque crea dudas en torno a su moral. He ordenado dejarlo aportando esfuerzos en una de las compañías de mi seguridad. Claro que deberá cumplir una sanción menor por haberle contado al compañero Iván que lo *tenían en capilla* para llevarlo a *consejo de guerra* nuevamente, lo cual facilitó la fuga del guerrillero. Mejor dicho lo salvaron los *buenos trabajitos* en Neiva, Tello, Bogotá y Campoalegre-

Quedé mudo cuando Cano ordenó que me soltaran y que devolvieran para el campamento de Carlos Julio a los otros guerrilleros que habían llegado amarrados conmigo. Evidentemente el secretariado había analizado que no podrían perder un *pistolero* de mi experiencia porque me necesitaban para otros *trabajos* similares. Si me mataban, desmoralizarían a quienes siguieron mis pasos. Como las evidencias eran tan confusas una buena opción sería tenerme cerca para continuar las investigaciones.

En aquellos días se estaba preparando el pleno ampliado de las farc y una cumbre de la naciente coordinadora nacional guerrillera. La sanción fue *tumbar monte* y arreglar partes de la trocha que del Duda conduce hasta la Hoya de Varela en el Páramo del Sumapaz. Luego pasé a la compañía Simón Bolívar encargada de la seguridad y los trabajos de organización y conservación del campamento de Jacobo Arenas.

En la reunión de la coordinadora nacional guerrillera vi a Pizarro y a Navarro del M-19, el cura Pérez y Gabino del eln, a Gilberto Vieira, Manuel Cepeda y José Antequera del partido comunista y la juco, gente del Quintín Lame y Francisco

Caraballo del epl. Fue una enorme romería de guerrilleros y civiles comprometidos con la organización. Jornadas de intenso trabajo, de fiesta, de complementación política para la formación integral de todo revolucionario.

En esos días, cerca de Bogotá, fue asesinado el abogado Jaime Pardo Leal presidente nacional del sindicato de Asonal Judicial. La noticia causó revuelo en los campamentos de *casa verde*. Hubo reuniones, mitines, actos culturales, minutos de silencio, guardias de honor imaginarias, elaboraron coronas y nos dictaron conferencias para destacar los aportes del *camarada* Pardo Leal a la lucha de los oprimidos.

Jacobo dictó una extensa conferencia en la que habló de:

- Las fuerzas oscuras orientadas desde el Pentágono en Estados Unidos y articuladas por la burguesía colombiana, son las autoras del crimen. Es necesario cerrar filas en torno al rechazo enérgico de las farc contra los enemigos de la paz. Por eso existimos como *ejército del pueblo* que en forma de guerrillas, y estímulo a la subversión, lucha contra la oligarquía y las fuerzas retardatarias de la represión. Es importante que nos preparemos en lo político y en lo militar. Un buen revolucionario debe sustentar con mil ideas cada cartucho que dispare contra el viejo modo de vivir en Colombia. Ya está llegando la hora que mediante el trabajo de masas combinado con la acción política del partido, estemos listos para lanzar la ofensiva final que nos lleve a alcanzar la Nueva Colombia. Esa es la Colombia que buscó *el camarada* Jaime Pardo Leal-

También intervino Alfonso Cano para exponer que:

- La violencia oficial se sustenta con la muerte del compañero Pardo Leal-

Desde ese momento el secretariado de las farc en pleno, decidió asesinar al senador liberal Pablo Emilio Guarín Vera, a quien responsabilizaron de la muerte de Pardo Leal. Esa fue la noticia que días después nos comunicó Alfonso Cano. Ese mismo día me enteré que los autores intelectuales y materiales de la muerte de 27 soldados en Puerto Rico Caquetá fueron Alonso, el mono Jojoy y el viejito Fabián, después miembro del frente 51 en Cáqueza y Une Cundinamarca. En el ataque participaron 90 guerrilleros de los frentes 13, 14 y 15 de las farc. Eso lo comentaron para señalar el hecho como el punto de partida para el rompimiento de la tregua con la oligarquía colombiana.

Retorné a la compañía Simón Bolívar. *Tirofijo* volvió a reunir la mayor cantidad de gente disponible para explicar su posición personal frente al periodo histórico que según el, no fue entendido en su dimensión por parte de algunas unidades guerrilleras.

- Veo *camaradas* que no se supo aprovechar la tregua del todo. Algunos se dedicaron a *tomar trago,* a pasarla sabroso con mujeres y a la diversión. En verdad nos hemos dormido en situaciones de guerra contra el enemigo. Fueron muy pocos los *camaradas* que aprovecharon la coyuntura política como debía ser. Les preguntó hoy: ¿Cuáles son los objetivos para 1988? Y no sabemos, porque aún nos falta mayor compromiso con la actividad político militar de la revolución-

Aquel 31 de diciembre de 1987, *tirofijo* pronosticó que 1988 sería un año muy duro y así fue.

-¡*Jacobo, amigo el pueblo está contigo!*- gritamos con euforia cada hora que pasaba aquel fin de año, para que el jefe político de las farc autorizara la prolongación de la *parranda.* Le cogimos el *lado flaco* al viejito, emocionado con nuestra zalamería.

Sin embargo Marulanda dejó mucha gente ubicada en avanzadas de seguridad, porque con la ruptura de la tregua se sospechaba que en cualquier momento el Ejército podría atacar y destruir el mito político publicitario de *casa verde*.

Pasada la fiesta volví a recibir fusil y municiones para *guerrear* como cualquier guerrillero, pues ya había cumplido la sanción. Fui escogido por Jacobo para integrar su guardia personal bajo el mando del *comandante* Plinio.

Allí conocí a Mariela apodada *la cabra*, por su temperamento extrovertido, risueño y alegre. Era una hermosa caqueteña de 19 años de edad, reina de belleza en un evento popular en un pequeño caserío enclavado en la selva, pero que ingresó a las farc enamorada de un guerrillero que apodábamos *patequeso*, quien por orden de la dirección se separó de ella, debido a que le proporcionó malos tratos de palabra y de obra. Después *patequeso* fue retirado de las farc por padecer quebrantos de salud: gastritis crónica, vomito con sangre y trastornos físicos. Años más tarde lo encontré como dueño o administrador de un prostíbulo de mala muerte en Puerto Toledo Meta.

El problema partió del desorden afectivo de *la cabra*, quien había tenido relaciones sexuales con varios *camaradas*. No obstante su comportamiento licencioso era temeraria en combate y muy eficiente en las tareas de campamento. Por esa razón desempeñaba el cargo de comandante de guerrilla, es decir que tenía a su disposición 24 guerrilleros, hombres y mujeres por parejo.

Le propuse convivir y aceptó, gracias a que seguí en la compañía de seguridad de Jacobo. Por aquellos días el secretariado obligó a todos los guerrilleros a leer los libros titulados *Cese al Fuego* escrito por Jacobo y *farc 20 años de Marquetalia a la Uribe* del periodista Carlos Arango Zapata, de los cuales extracté importantes enseñanzas y desde la óptica fariana fortalecí el credo político revolucionario. Que importante es la lectura en medio de la guerra.

En estos campamentos conocí gente de origen urbano, metidos por gusto en la guerrilla. Entre los integrantes de la guardia especial del secretariado estaba Mercedes una señora de más o menos 50 años de edad, que congenió mucho con Mariela y también fue muy especial conmigo. Siempre mantenía a la mano un termo de café que degustábamos al calor de agradables charlas familiares.

Supimos que desde muy joven Mercedes integró la juventud comunista, por eso cuando se crearon los grupos de capacitación cultural popular, ya ella había participado en cientos de representaciones artísticas orientadas por la izquierda. Fue huelguista en Coltabaco y el sindicato de trabajadores de Antioquia. Era fiel admiradora de Maria Cano. Hablaba hasta por los codos, mejor dicho una *paisa* poseída de una alegría contagiante. Y muy cercana a Jacobo por aquello de la intelectualidad y el arte escénico.

Jacobo Arenas era un lector incansable. A menudo amanecía leyendo todo tipo de libros relacionados con la economía y la política. Recuerdo una madrugada que estaba de centinela en la caleta de Jacobo y el hombre no se había acostado aún, porque a la luz de una lámpara Coleman leía un libro. Lo saludé con el formalismo militar que imponen en las farc para dirigir la palabra a un *comandante*.

Con amabilidad, dijo:

- *Ala* Johny, estoy cansado, tengo sueño, pero es que este libro es demasiado importante porque analiza cosas interesantes de los nuevos planteamientos burgueses frente al neoliberalismo económico. Se lo recomiendo *camarada*. Cuando lo termine de leer se lo presto. Claro que también lo llamé para saber si tenía centinela-

Olga la concubina de Jacobo dormía a esa hora. Era una joven campesina que fue profesora en la escuela rural de la vereda La Ucrania de Uribe Meta. Con la suspicacia del colombiano, se rumoró en la compañía, que el verdadero marido de Olga era el *camarada Marcelino* comandante de la compañía Bolívar, pues Jacobo ya estaba muy viejo y además se trasnochaba leyendo. Después de la Operación Colombia *en casa verde*, Marcelino participó en el asalto a la repetidora de Girasol, donde quedó inválido de por vida.

Una mañana durante la formación para iniciar actividades de campamento, Marcelino ordenó:

- Johny, Henry y Robledo van conmigo a la caleta del *camarada* Jacobo-

Sentí temor pues no era normal que un guerrillero de base o de bajo nivel en la jerarquía *fariana* conversara con *el viejo*. Debería ser algo muy importante pues Jacobo salía de la cama por allá a las nueve o diez de la mañana y esta vez sería antes de esa hora.

Entramos a la casa de tabla y zinc donde vivía el ideólogo de las farc. Tan pronto nos vio tomó asiento en un butaco de madera, y con las piernas cruzadas mientras sostenía una humeante taza de café caliente entre las dos manos fue directo al grano:

- Bueno *alas*, he dado instrucciones al comandante Marcelino para que los envíen a hacer un *curso de comandantes de compañía*, que iniciará en el mes de abril. Los instructores son gente que viene de otros países. Deben aprovechar todos los conocimientos posibles, pues este curso es similar al que hacen los oficiales de los ejércitos regulares en los grados de teniente y capitán. No desaprovechen nada de lo que puedan aprender. Lo van a necesitar mas adelante-

Cumplidas todas las orientaciones de los camaradas integré el grueso de alumnos llegados de todas partes del país. Los instructores fueron Luisinho y Jorginho del Brasil, Yuri de Argentina, Pedro de El Salvador, dos soviéticos, Erika y José y cuatro oficiales cubanos. No se llamaban por la palabra *camarada*, sino que utilizaban los grados militares para el efecto. Por ejemplo al viejito Pedro todos le decían *mi mayor* y hasta los guerrilleros terminamos llamándolo así.

El sitio de reunión fue un caserío de tabla y madera con tejas de hojalata, bautizado por *tirofijo* con el nombre de *El rincón de los abuelos*. Entre los alumnos estaban Julián Conrado el cantante que compone a ritmo vallenato piezas musicales con mensajes revolucionarios, y Vladimir Perdomo González mas conocido como Miller en la zona del Sumapaz. De allí partimos para Hueco Frío a órdenes de Pacho Arenas, el hijo de Jacobo y de Andrés París el médico personal de *tirofijo*. Ambos acababan de regresar de unos cursos de complementación política realizados en la Unión Soviética.

El curso para comandantes de compañía tuvo dos fases. La primera parte fue un proceso de nivelación teórica insoportable. Charlas acerca de los avances y retrocesos del comunismo en el mundo, la razón de la existencia de la cortina de hierro y el Pacto de Varsovia, el entonces muro de Berlín, los ideales del che Guevara, la historia de las farc, la historia de la masacre de las bananeras vista desde el ángulo comunista, táctica guerrillera, la revolución roja en Rusia Bolchevique, análisis de documentos políticos, teoría del marxismo- leninismo, cartografía, manejo de la brújula y maniobras tácticas.

Desde el principio hasta el final del curso recibimos muy

mala comida, con el argumento que de esa manera, se fortalecería la voluntad revolucionaria para sobreponerse a las adversidades de modo, tiempo y lugar. Naturalmente que la mesa de los instructores siempre fue buena y abundante.

Al cabo de los tres primeros meses se retiraron 25 alumnos del curso a los *que tirofijo* dio por llamar *cadetes*. De inmediato perdieron la distinción para comandar dentro de los frentes de procedencia. Entre los renuentes estuvieron Julián Conrado, Alberto Ciro del 17 y otros *camaradas* que eran drásticos en las relaciones de mando con los guerrilleros de base, pero que resultaron flojos a la hora de mostrar la forma.

La segunda fase se inició en el pueblo, donde Jacobo Arenas recibió los *cadetes*, e insistió en la fortaleza moral del guerrillero, pues si habíamos flaqueado en lo teórico, necesitaríamos mas fuerzas en lo práctico. Además de recibir buena alimentación, los instructores ganaban buen sueldo y andaban acompañados por un grupo de guerrilleros, que hacían las veces de asistentes para ellos.

Enojado *tirofijo* llamó por radio a Adán Izquierdo y le dijo que Conrado servía para cantar pero no para *echar plomo*. Recibimos los víveres y las instrucciones para iniciar la pesada segunda fase, que en lugar de ser un curso de capacitación militar resultó una tortura física y sicológica soportada durante seis meses. En el Confín los instructores nos separaron por grupos. A pesar de que los reglamentos de las farc prohíben en teoría maltratar de palabra o de obra a los guerrilleros, muchas veces los instructores se pasaron de ofensivos.

Cualquier ejercicio mal hecho significaba *madrazos* o hasta bofetadas. Pero el temor era que cualquier insubordinación contra un instructor equivalía a un irrespeto contra un miembro del estado mayor central, causal innegable de ser llevado a *consejo de guerra*. La sanción mas común era practicar *arrastre bajo* en lodazales de las encumbradas y frías alturas paramunas, en especial a quienes les faltaran víveres durante las inspecciones practicadas por los instructores.

Todos los días realizábamos extenuantes prácticas de emboscadas, golpes de mano, asaltos guerrilleros y las fatigantes marchas guerrilleras a campo traviesa. Trasnochábamos y madrugábamos mucho.

Al promediar la fase práctica el grupo se redujo a 125 guerrilleros. Una de las pruebas de supervivencia fue caminar dos días y dos noches sin comer nada caliente, pese a llevar los morrales llenos de víveres. Si la persona los dejaba perder o era reincidente en faltantes, debería suspender el curso e ir hasta el secretariado a explicar las razones del hecho.

Un sábado al medio día nos dijeron que podríamos lavar el morral y los uniformes en una torrentosa quebrada nacida en el páramo. En silencio esperaron que todos tuviéramos la ropa mojada. Entonces ordenaron reiniciar la marcha. El descontento fue generalizado, pero el silencio corporativo primó sobre la inconformidad.

En desarrollo de una de tantas pruebas de habilidad técnica para efectuar el cruce sobre obstáculos artificiales instalados con cuerdas para armar *puentes de circunstancia*, el *compañero* Teodoro, natural de Ituango Antioquia y primo de Carolina, cayó desde una altura de mas de 15 metros. Producto del golpe sufrió severos daños en la columna vertebral que lo dejaron parapléjico de por vida. Por ser un lastre para continuar la instrucción el mayor Pedro propuso matarlo, pero por recomendación de los dos instructores soviéticos, fue enviado en una mula para la sede del secretariado.

En la cabecera del río Cabrera practicamos natación utilitaria y salvamento de personas. En Bolsa Chica y Bolsa Grande, practicamos descenso y ascenso de rocas apoyados con sogas. Varios guerrilleros sufrieron heridas en el rostro contra las gigantescas piedras, lo cual ocasionó un serio llamado de atención a los instructores por parte del secretariado.

El regreso fue difícil porque el río Papamene estaba crecido. La orden de Yuri el argentino, fue a practicar lo aprendido en natación. Como era de esperarse, un guerrillero murió ahogado en las caudalosas aguas. La nueva sorpresa fue que al llegar al pueblito para la fase final de ejercicios prácticos y la *prueba de templanza*, no podíamos hablar con nadie, pero intencionalmente habían traído mujeres de todas las compañías de seguridad del secretariado para provocar la reacción nuestra. Quien saliera sin permiso del área de campamento para alumnos, perdería el curso. Tal humillación después de nueve meses de privaciones, era dizque para forjar el temple de buenos revolucionarios.

Mariela estaba trabajando en la sastrería. Uno de los instructores soviéticos se enamoró de ella, razón por la cual cuando supo que era mi *compañera de caleta*, de inmediato *me la dedicó*. Una noche escapé por cinco minutos del área de campamento para arreglar un uniforme. Al regreso fui sorprendido por el celoso instructor quien de inmediato solicitó que me retiraran del curso. Pero como había sido de los alumnos más destacados, el castigo fue pasar del puesto 7 al 22. Los dos últimos días estuvimos en mantenimiento de uniformes, morrales, porta granadas, cartucheras, carpas y preparación de la ceremonia militar para la graduación.

Los instructores enviaban guerrilleros con platos repletos de comida para que la ingirieran delante de nosotros, que a duras penas recibíamos escasas raciones de la misma alimentación. O enviaban muchachas para que nos buscaran la conversación porque *en la puerta del horno se quema el pan*. Recuerdo de uno de los compañeros que cayó en el error, pues mientras lavaba la ropa llegó una guerrillera a hablarle. El muy imbécil entabló la conversación y le narró las penurias de la selva. Cuando levantó la cabeza, ahí estaba el instructor celoso retirándolo del curso.

Intercedimos ante el *mayor Pedro*, pero su autoritaria respuesta fue:

- ¡Las órdenes son para cumplirlas!-

El día de la graduación hicimos calle de honor a Marulanda, honores con las armas al pabellón colombiano adornado con el logotipo de las farc, y entonamos el himno nacional con un aditamento en la introducción:

- *Hoy que la madre patria se halla herida, vamos todos a combatir, a combatir. Vamos a ofrendar por ella nuestras vidas, porque morir por la patria no es morir, es vivir... Oh, oh gloria inmarcesible, Oh.....-*

Marulanda improvisó un discurso y entregó algunos premios a los guerrilleros que ocuparon los primeros puestos. Terminada la ceremonia, *tirofijo* nos reunió en el *pueblito* para comunicar *una misión de combate*, o sea para probar la capacidad operacional adquirida:

-Hay en proyecto una ofensiva militar de la Novena Brigada en la zona del frente 17. El comandante de **esa vaina** es *Carlos móvil*. La misión de *vustedes* es emboscar una patrulla del Ejército rutinizada en Vegalarga cerca de San Antonio, para desviar al atención de las operaciones hacia allá.

La ejecución de esa tarea fue el acabose. El Ejército nos pegó una *solfa* inesperada. Aunque matamos cuatro soldados y les quitamos los fusiles, nosotros perdimos a tres comandantes.

Tirofijo se enfureció y el día del regreso, nos pegó un regaño de media hora:

- Este fracaso ocurrió por culpa de la indisciplina. Por no poner en práctica lo aprendido en el curso. Porque viven pensando es en estar de fiesta y no en la guerra contra el enemigo. No necesito más esta columna móvil. A partir de ya pueden entregar las armas y los morrales. De aquí salen para sus frentes y *no se vayan a dejar joder de los chulos*.

Quedé asignado a una de las compañías de seguridad del secretariado. Un día Jacobo Arenas me envió al área urbana de Uribe con la misión de asesinar un campesino integrante de la Unión Patriótica, que *se torció* y entregó al comandante de la base militar de Uribe un croquis del área de *casa verde*, y de todo lo que tenían las farc en el cañón del río Duda.

Lo matamos detrás del puente y lo enterramos entre el matorral aledaño. Luego el partido denunció que el Ejército desapareció a un campesino. Ese tipo de genialidades eran comunes en el comportamiento de Jacobo Arenas.

Todo el año 1989 viví acompañado de Mariela en los campamentos de seguridad de los miembros del secretariado. Tras la muerte violenta del candidato liberal Luis Carlos Galán, supimos que Cesar Gaviria subiría a la presidencia. Cundió satisfacción en *casa verde*, pues equivocados creímos que por haber sido uno de los tantos personajes que visitó a Marulanda en su fortín, Gaviria sería otra especie de Belisario Betancur. Pero todo resultó al contrario, porque el presidente César Gaviria Trujillo ordenó bombardear la sede de los diálogos el 9 de diciembre de 1990.

Estuve trabajando en la talabartería, para arreglar los aperos de las bestias, pero por intriga de alguien fui enviado a la guardia personal de Raúl Reyes, con la consecuente separación de

Mariela debido a las políticas internas de la organización. Sucedió que le dijeron a Jacobo que Mariela y yo nos olvidamos de *la revolución* por andar en quehaceres personales.

La primera decisión de Marcelino fue separarnos de *caleta*, pero una noche incumplí la norma y fui a parar al *cambuche* de Mariela. El relevante nos sorprendió en la cama de *la cabra*. Nos castigaron con el traslado mío hacia la guardia de Reyes y a ella con la construcción de 50 huecos para enterrar basura.

Ya en el campamento donde hice el curso de *pistoleo*, volví a juntarme con Nayibe, para entonces comandante de escuadra. Aclaro que para la época ya no estaba allí Carolina, la enigmática antioqueña. Reyes me escogió como uno de los instructores para 80 guerrilleros urbanos provenientes de Bogotá, Medellín, Cali y Popayán que fueron a recibir entrenamiento militar en El Duda. Había cojos, mancos, y muchos estudiantes universitarios carentes de formación militar.

Oscar *paisa* ayudó con la instrucción *de pistoleo*. Beatriz Arenas les dictó ideologías políticas y sanidad en guerra de guerrillas. Yo les enseñé a manejar explosivos, normas del reglamento, orden cerrado, además me encargué del régimen interno y la valoración cuantitativa del curso. Fui drástico de principio a fin. Los alumnos informaron a *tirofijo* que yo los trataba mal, pues el curso no parecía para personas sino para animales.

Con marcado acento rural y sin perder la compostura *tirofijo* ordenó:

- Trate con suavidad a esos *urbanos*. Primero *vusté* (sic) sabe que yo no he estoy totalmente de acuerdo con que por ahora las farc tengan guerrilleros urbanos sin un control definido desde el secretariado. Por estatuto somos un movimiento agrario que lucha por los derechos de los campesinos, destinado a la entrada triunfal del campo hacia la capital. Y en segunda medida porque esa gente se pone a *hacer cagadas*[35] con vicios propios del capitalismo y lo que hacen es dañar el buen nombre del movimiento revolucionario-

Desde aquel día comprendí que hay aceptación tácita compartida por meros intereses personales y de partido, pero no por empatías o coincidencias colectivas. En la guerrilla no existe la lealtad en ninguna dirección. Se da una acumulación de intereses. Sería por eso que los miembros del partido en Neiva enviaban cuentas ficticias al secretariado para justificar gastos inexistentes.

Entre los alumnos urbanos encontré *pistoleros* con mayor experiencia criminal que la mía. Gente que había apoyado diferentes frentes de las farc en asaltos a municipios o emboscadas a la Fuerza Pública en varios lugares del país. También estaban quienes participaron conmigo en los asesinatos en Bogotá, Soacha y Bosa. Algunos utilizaban camisetas con los logos de universidades capitalinas. En ese curso nació la idea de bautizar los guerrilleros urbanos con el mote de *guardias rojos*.

Algunos de ellos parecían ingenuos estudiantes de bachillerato jugando a la revolución. En charlas con Jacobo y Cano hablaron de la perestroika y el glasnot. Los dos jefes hicieron hincapié en la necesidad de evitar que las farc cayeran en el error del revisionismo o lo que era peor permitir que ideas capitalistas pernearan la estructura fariana, que lo urgente e imprescindible sería que los comunistas colombianos trazaran una estrategia, en la cual bajo la apariencia de la renovación

---

[35] Cometer errores.

política se mantuviera fuerte el esquema leninista, así fuera necesario recurrir a métodos trotskistas.

Cuando tocaron el tema del trotskismo y de las masacres o purgas ordenadas por Stalín, revivía en mi ese monstruo violento sediento de sangre humana, pues quería ser famoso y que mi nombre apareciera en periódicos y emisoras como había sucedido con José Fedor Rey alias Javier Delgado o *el carnicero de los Andes*. Hablaron de la evolución política y militar del M-19, grupo guerrillero al que tildaron de *movimiento con infantilismo izquierdista*, que entregó los ideales revolucionarios a los apetitosos intereses de la burguesía.

Inclusive dijeron que si el gobierno nacional intentaba cualquier aproximación para dialogar con las farc, jamás aceptarían a Rafael Pardo Rueda como delegado oficial pues era un tipo *taimado*[36] *y peligroso*. Terminado el entrenamiento, escoltamos los urbanos hasta el sitio denominado El Confín.

Un día apareció en el cielo del cañón de El Duda un helicóptero que en apariencia no estaba previsto por los *comandantes*. Al instante corrió la información que no se podía disparar contra esa aeronave pues allí venía un importante miembro del partido a reunirse con Jacobo. Por estar de guardia frente a la caleta de Jacobo escuché esta conversación:

- Jacobo tenemos una grave crisis. Los muchachitos renovadores como Bernardo Jaramillo Ossa, se están volviendo *perestroikos* y quieren sacarnos de la línea a los viejos revolucionarios como tu o como yo.- dijo el visitante mientras explicó con otros argumentos la importancia de la posición de las farc al respecto.

---

[36] Persona que no es sincera.

- Haremos una reunión de los guerrilleros mas antiguos para analizar el tema y elaboraremos un documento en el cual se planteará el punto de vista de las farc frente a ese tema- repuso Jacobo Arenas.

Entre brandy y brandy, hablaron de la necesidad de asumir líneas duras si fuera necesario para restituir con el uso de las armas del pueblo, los lineamientos originales y las posiciones ideológicas de quienes por tradición se consideraron fundadores, dueños, amos y señores de las farc, con todos los defectos y particularidades descritos acerca de la organización subversiva.

Por el calibre de los comentarios que escuché ese día estoy seguro que lo que se trató en esa reunión tuvo que ver con la muerte de Jaramillo Ossa. Es mas el día que ocurrió el crimen del candidato a la presidencia por la UP, *tirofijo* alertó por radio a las unidades guerrilleras para advertir lo que supuso era un plan de exterminio contra los dirigentes populares de izquierda. Siempre creí que tramaba una treta muy al estilo de las farc.

Por su parte Raúl Reyes comentó con alegría:

- Por fin le dieron a ese *entreguista*. Se las estaba picando de muy *perestroiko*. Ojalá que al *huevón* del Carlos Pizarro le pase lo mismo. Porque anda de muy pantallero y de muy *comandante papito*. Mucha pose de modelo pero nada de revolución. Como era hijo de un militar no tiene nada de raro que haya sido el propio Pizarro quien delató a los compañeros para que los exterminaran y condujeran al M-19 a la rendición-

Quedé como comandante de escuadra en la misma compañía con Nayibe. Instalamos un campamento entre las veredas Las Mil y Pategallo. El 31 de diciembre bailamos muy divertidos en una fiesta de año nuevo. Nos visitaron Timochenco y otros miembros del secretariado. Lisímaco un guerrillero con 15 años de militancia en las farc asignado a mi escuadra estaba enamorado de una joven guerrillera llamada Carlina, pero la *compañera no le paraba bolas.*

El tipo era un hombre extraño. Callado, casi no hablaba con nadie mas de lo necesario.

En horas de la mañana del 31 de diciembre Lisímaco pidió:

- Oiga compañero Johny, por *vida suyita,* usted que es mi comandante directo porque no me hace el favor y habla con la compañera Carlina y la convence para que sea mi *socia de caleta,* pues le he dicho de mil maneras y me desprecia. No me pone cuidado-

Accedí, pero Carlina contestó:

-Vea Johny. Usted es comandante, pero no se puede meter en mi vida privada. Las cosas del corazón las arregla cada quien con su cada cual. Lisímaco no me gusta para nada porque es un tipo bien extraño-

Volví a hablar con Lisímaco y le conté la verdad textual. El hombre no pronunció ninguna palabra, sino que fijó la mirada en la cristalina agua de la quebrada que corría generosa hacia el sur oriente del campamento. El resto del día no volví a saber nada de Lisímaco, pues estuve atareado en el arreglo de la lechona para la cena.

Mas o menos a las diez de la noche estábamos bailando y tomando trago, cuando sonó un disparo de fusil. Aunque noté la ausencia de Lisímaco supuse que estaba de guardia, pero jamás imaginé que para saciar el platónico amor con Carlina, sería capaz de buscar el suicidio como remedio.

De momento suspendimos el baile. Encontramos a Lisímaco con vida. Tenía la cara semi-destrozada y empapada de sangre que brillaba en la oscuridad de la noche y refulgía con los haces de luz de las linternas. Andrés París lo revisó y diagnosticó que podría vivir si era sacado rápido para la ciudad.

Consultamos con Timochenco también médico quien contestó:

- Déjenlo morir o termínenlo de matar, porque yo estoy muy divertido en la fiesta para solucionarle los problemas amorosos a ese tonto-

Con esa respuesta y de esa manera las farc correspondieron al trauma emocional de un hombre que aportó 15 años de su vida a la lucha revolucionaria.

La fiesta se prolongó hasta el 3 de enero. *El muerto al hoyo y el vivo al baile.* Esa noche tapamos el cadáver con un plástico y continuamos la parranda hasta el amanecer. El primero de enero al medio día enterramos el cadáver en una fosa cerca de la quebrada. A las cuatro de la tarde se volvió a prender la fiesta.

El trago y la comida entraron por San Juan de Sumapaz en bultos y cajas *remolcados* por unos compañeros que lo llevaron en mulas desde Santo Domingo hasta el campamento.

La guardia se prestó sin mayor seriedad. Estuvimos ebrios. Los rancheros excedieron el gasto de víveres. Comimos mas de lo normal. Disparamos las armas al aire. Cada quien se acostó con quien quiso. Indisciplina total, que supongo sucedió al tiempo en los demás campamentos, porque allá nadie llegó a pasar revista como era costumbre para estas festividades. El 4 de enero se hizo el balance. Fueron muchos los sancionados que debieron hacer huecos, cortar leña o entregar el mando de las escuadras. Nayibe resultó siendo comandante de compañía.

Por el nuevo cargo de *la socia de caleta,* convivir con ella me *subió los humos* que condujeron a errores, como acostarme a dormir estando de relevante, situación en la que fui descubierto por Arquímedes el comandante de guardia, razón por la cual fui sancionado con drasticidad.

Muy seria Nayibe dijo:

- Johny: No quiero manchar la reputación ni la hoja de vida debido a que el informe de Arquímedes es demasiado comprometedor-

Entonces nos separamos unos días, lo cual facilitó que yo superara las *tendencias capitalistas* que estaba adquiriendo.

Llegó la orden de *tirofijo* de enviar una compañía por los lados de El Dorado para contener una tropa que venía de la Legiosa. Después de recibir instrucciones del propio Marulanda, salí como tercero al mando de la unidad comandada por Arnoby y Raúl. Antes de iniciar la marcha para el lugar de la contención, la mayor parte de los jefes de las farc estuvieron allí presentes en plena formación militar. Todos hablaron de la importante misión, inclusive Jacobo Arenas repitió uno de los eternos discursos acerca de las *guerrillas como estímulo a la subversión.*

La misión era empalmar con una guerrilla del frente 17 para ir hasta El Dorado, donde había unos soldados del batallón Tenerife que hacían desplazamientos rutinarios todos los días hasta El Quebradón, para inspeccionar el terreno. El propósito de la operación era golpear la patrulla y quitarles las armas.

De entrada tuve problemas ante la negativa de un remplazante de escuadra para cargar las ollas:

- Oiga Samuel. Recuerde que soy el comandante. Cumpla las órdenes o le aplico el reglamento- dije airado.

Organizados en vanguardia, guardia lateral, grueso del grupo y retaguardia, la primera noche llegamos al Riachón cerca de la casa de *pan pelado*. Marché como siempre en la primera fila y de puntero, pues nunca confié en lo que hicieran los demás adelante. La segunda noche caímos al río Tigre y de allí continuamos hacia El Dorado pasando por Buenavista y la tenebrosa y fría Línea.

En El Dorado verificamos la información con un comando de tres hombres vestidos de civil, quienes vieron a los soldados cumplir la rutina de siempre. Como los militares no cruzaron el río, facilitaron que el observatorio retornara sin ser detectado. Arnoby recibió el informe y decidió instalar la emboscada durante la noche para atacar el día siguiente.

Esa noche nos encontramos con la guerrilla del 17 en la que venían Duvar y Darwin. Curadas las heridas del odio que pudimos tener luego del fallido segundo *consejo de guerra*, me contaron que Marleny la mujer que me incorporó a las farc, ahora convivía con Carlos Julio el enemigo que no me olvidaba. La misión de ellos era instalar otra emboscada mas adelante reforzada con minas antipersonales para rematar los soldados que salieran ilesos de nuestro ataque.

Encaletamos los morrales con los víveres y cosas pesadas. Cada guerrillero armó su *tulita minicrucero*[37] con lo esencial para sobrevivir a la espera de la presa codiciada, pero los soldados no llegaron hasta el lugar. Coordinamos unas claves con Duvar y decidimos atacar protegidos por la oscuridad de la noche. Yo no quería perder gente, aunque me hirieron un guerrillero. Nosotros matamos al centinela y escapamos con el fusil. Logramos el objetivo porque los residentes cerca de la base militar nos proporcionaron un croquis exacto con la ubicación de los centinelas y los puntos débiles de la fortificación militar.

Regresamos para instalar la emboscada en el camino aledaño al cerro. Llamé a Arnoby por radio y le comenté:

- La cosa está buena. Hagamos lo necesario para no regresar

---

[37] Pequeño morral guerrillero, que sirve para cargar lo esencial para un combate, debido al poco peso y la versatilidad para cargarlo.

a *casa verde* pues por allá es monótono en cambio por aquí hay acción-

Arnoby contestó:

- Si..... en ese momento tengo preparada otra emboscada para sorprender a quienes salgan a explorar el terreno en busca de los *compañeros* que mataron el soldado y se llevaron el arma-

La verdad es que antes que los soldados entraran a la zona de muerte de la emboscada, Arnoby hizo tres disparos, salió corriendo y ordenó repliegue para no combatir. Sin duda prefería la vida suave de *casa verde* hablando de política y no el afán diario del combate.

Arnoby y Raúl no quisieron pelear. Cuando volví a hablar con ellos ya iban llegando a la Línea. La disculpa dada por los dos *flojos* es que la tropa que reaccionó era numerosa y venía muy bien organizada. Tal gesto de cobardía les costó perder el mando a los dos. Por el lado donde instalé la emboscada también llegó una parte de las tropas.

Dimos de baja al puntero de la patrulla. Después de 50 minutos de intercambio de insultos y disparos, pedí a Duvar que cubriera mi retirada y así lo hizo. De esa forma terminó una fracasada *misión de aniquilamiento,* que consistía en atacar la base militar de sorpresa, robar un fusil e inducir el grueso de la reacción hacia una emboscada de aniquilamiento.

A la hora del balance, la crítica y la autocrítica, la mayor parte de los guerrilleros denunciaron la cobardía de Raúl y Arnoby. En silencio, *Tirofijo*, Cano, Jacobo, Reyes y Nayibe, escucharon atentos los testimonios, en los que criticaron el despotismo en la vida de campamento y la actitud de *gallinas* en el combate.

Intervino Marulanda:

- ¿Cómo así?- Explíquenme eso, uno por uno y punto por punto-

Cada guerrillero habló y expresó lo que consideró negativo. Con aparente calma pero enojado, *tirofijo* preguntó:

-¿Qué dicen Raúl y Arnobi?-

Sus respuestas vagas y dramáticas fueron cortadas con actitud drástica por *tirofijo*:

- ¡Pura mentira! A ver Johny, explíqueme *vusté* ¿qué fue lo que pasó?

- Cuando llamé a Arnoby para incrementar la carga del ataque, este ya estaba cerca de la Línea- contesté

- Eso refleja la cobardía que hubo allí- contestó Marulanda y agregó:- Analícenme bien la vaina para sancionarlos como merecen. Miren que Johny es el más indisciplinado o *cagada* como llaman *vustedes* (sic) y fue el que se distinguió. Por eso a veces no les creo cuando me hablan mal de un guerrillero-

Después de una breve pausa para tomar aire, *Tirofijo* prosiguió:

- Johny *vusté* encárguese de una compañía y Nayibe de la otra, mientras resolvemos el caso de los dos *camaradas* que les dio miedo pelear-

Al ver los dos tipos sentados con cara de aburrimiento, sin mando y humillados recordé la amarga experiencia de *los consejos de guerra*. Como jefe de seguridad estuve muy atento que les dieran buena comida y que los guardias no los humillaran.

Llegó el mes de agosto de 1990 y con el, la inesperada muerte de Jacobo Arenas. Preciso cuando fui nombrado encargado del mantenimiento de la granja de su propiedad, hasta donde llegó un emisario de *tirofijo* con la orden perentoria que subiera al pueblito con toda la gente para organizar la guardia de honor al féretro del *camarada Jacobo*.

Diversos comentarios. Unos decían que los impactó la muerte de un verdadero líder revolucionario, otros mas pragmáticos dijeron para que llorar un *man* que ni siquiera era de la familia.

- Quien sabe si cuando uno muera lo llorará esta gente- profirió otro guerrillero sentado en una piedra, con el fusil sobre las piernas tomado por la culata y el cañón.

Germán y Fermín, dos de los guerrilleros con mayor permanencia en las filas de las farc, organizaron un improvisado dúo para gritar consignas como estas:

- ¡ Se vive!, ¡se siente!.... Jacobo esta presente!-

- ¡Compañero Jacobo: ¡Cumpliremos!-

- ¡Murió el líder, pero vamos para delante!-

Los médicos hicieron la autopsia y prepararon el cadáver para la sepultura. Ubicamos la guardia de honor. Con amargura Pacho y Beatriz lloraron sobre el lujoso cajón de madera. El ambiente semejaba el halo de una tragedia inesperada sobre *casa verde*.

Otros estuvieron desconcertados ante la evidente ausencia del maquiavélico cerebro que urdía tramas políticas para detener la acción del Ejército y manipular al estado colombiano. A la hora del sepelio la compañía Simón Bolívar, fue la encargada de hacer **honores** finales.

Durante el velorio de Jacobo hubo de todo. Nayibe y yo volvimos a ser pareja. La luna brillaba hermosa en el oriente. Las cigarras y luceros revolotearon hasta mas tarde que de costumbre. Vi mas o menos 15 parejas en pleno goce de los deliquios amorosos o de la atracción pasional, protegidos apenas por la semi-oscuridad de la noche, con la disculpa que la abrumadora romería de gente estaba con el alma puesta en la desaparición del jefe.

Estuve presente en el lugar cuando Beatriz Arenas habló para despedir a su padre:

- Papi, papito, moriste en tu ley. Peleaste como los buenos combatientes, Defendiste tus ideales. Estas ideas no pasarán porque quedaron en Colombia-

Luego habló Marulanda:

- Yo... lamentablemente tengo que estar de cuerpo presente y como dicen en mi pueblo enterrar al *camarada* Jacobo Arenas, al que conocí en 1964 cuando la Operación Marquetalia durante el gobierno de Guillermo León Valencia. Con Jacobo nos estrechamos los brazos allá en las montañas del sur del Tolima y seguimos luchando juntos, hombro a hombro por la revolución en Colombia. *Camarada* Jacobo: Sus ideas no morirán. Téngalo seguro que seguirán ahí en los corazones de los revolucionarios colombianos-

Muchos guerrilleros lloraron frente al sepulcro de aquel ideólogo subversivo que enseñó a muchos de nosotros el macabro arte de matar seres humanos. Ayudé a echar tierra con una pala sobre el sarcófago. A las cuatro de la tarde terminó todo. Jacobo ya descansaba, no se si en paz o en tormento, pero el silencio invadió los campamentos de *casa verde*.

Jamás se aclaró la verdadera causa de la muerte de Jacobo Arenas. La versión de los miembros del secretariado refrendada en público por *tirofijo*, puntualizaba en un infarto cardíaco. Con maléfica sorna se pensó que al *camarada* no lo atacó un corazón enfermo sino justiciero.

Otras versiones más estrechas pero que circularon a la par, aseguraban que el *compañero jefe* fue asesinado por un enervado guerrillero, quien perdió un hermano en un fatídico *consejo de guerra* ordenado por Jacobo, debido al robo de unas panelas de una *caleta*.

Otros aseveraron en voz baja que Cano y *tirofijo* lo envenenaron, pero nunca se comprobó ninguna de las versiones. Todo quedó en silencio como es costumbre en los cerrados corredores de la información al interior de las farc.

Al día siguiente del sepelio Marulanda ordenó acabar la huerta y redistribuir el personal de la compañía Bolívar, encargada de la seguridad del finado. Ahí terminó otro sueño de Jacobo, cuyo caballo personal un hermoso ejemplar pura sangre, perdido durante la Operación Colombia, permaneció varios días pastando al lado de la tumba.

El 15 de agosto de 1990, el pueblito fue escenario de un *consejo de guerra* contra un compañero que durante el sepelio fue sorprendido por Raúl Reyes hablando mal del *camarada* Jacobo, y por criticar en público que desde su óptica personal, no tenía razón de ser tanto despliegue publicitario de recursos y de personal para alguien que ya no viviría mas.

E inclusive cuestionó porqué a los guerrilleros de base se les sepulta como animalitos o semejan abandonados cuando caen en combate, en cambio a este, de quien nadie tenía constancia histórica que hubiera estado en el frente de batalla, se le hacían tantos y tal vez inmerecidos reconocimientos.

El fallo en contra del *traidor infiltrado* fue rápido y sin oposiciones. La decisión de ejecutarlo fue tomada en menos de una hora. Por encargo directo de Raúl Reyes, le propiné un tiro de pistola en la nuca y el hombre murió. Su pecado atreverse a criticar los *merecidos honores* al *indiscutible líder* y *camarada* Jacobo.

Cumplido el primer mes del fallecimiento, llegaron a *casa verde* gentes de todas partes, inclusive de otros países. Los integrantes de la coordinadora guerrillera que se encontraban en *los campamentos* el día que ocurrió el deceso, permanecieron allí hasta el 12 de septiembre para la celebración del primer mes.

Vi líderes del partido comunista colombiano, periodistas del semanario Voz, gente del Cinep, de Provivienda, de la Juventud Comunista, los *guardias rojos* de las universidades de Bogotá y al alcalde municipal de Uribe Meta, quien no estaba autorizado por el gobierno nacional para asistir al funeral clandestino. Fue un incomparable hervidero de personas.

Se sacrificaron 10 reses para atender la alimentación de tanta gente. Fui nombrado *jefe de casino* para supervisar la organización y repartición de los alimentos pero sobre todo para que nadie fuera a quedar sin la comida. Los rancheros trabajaron sin cesar. Organizamos varios puestos de distribución supervisados por mi. Para traer algo de alegría celebramos un campeonato relámpago de voleibol.

Alfonso Cano leyó en público una carta enviada desde La Habana Cuba por Fidel Castro, para expresar el saludo de condolencia a los *camaradas amigos de las farc*, por la sensible desaparición del líder político de la revolución colombiana. Luego tomó la palabra Marulanda para repetir el insulso discurso de un mes atrás, que entre otras cosas lo oí repetir muchas veces en otras reuniones políticas de las farc. Le propusimos hacer una fiesta pero *tirofijo* dijo que no confundiéramos la parranda con el luto.

En aquel evento se rumoró con insistencia que pronto el Ejército atacaría *casa verde*, antes que se realizara la elección de los miembros de la asamblea nacional constituyente.

Caraballo el jefe del menguado epl, dictaba conferencias políticas a los guerrilleros en ese sentido y con el permanente deseo de fortalecer los credos políticos de los guerrilleros. De ser el creador de un grupo guerrillero igual o superior en sus inicios a las farc, Caraballo pasó a ser una especie de *asilado político de las farc en casa verde* a merced de las decisiones de *tirofijo* y Jacobo, que lo miraban más bien con desdén.

Le escuché decir:

- Estoy apenado con la gente del epl[38], porque ellos me ven como un *comandante derrotado* fuera del campo de combate. Todo lo malo que le pasa a nuestra organización es culpa de Bernardo Gutiérrez Zuluaga[39], quien ilusionado con las propuestas del M-19, faltó a los principios de la moral revolucionaria al entregar parte de nuestro movimiento, pero yo seguiré la lucha hasta el final-

Cuatro años después Caraballo fue capturado en Cajicá. Hoy está preso purgando una larga condena en una cárcel de máxima seguridad.

La premonición del eventual ataque a *casa verde* era cierta. A diario sobrevolaban la zona aviones de reconocimiento, acción militar que nos obligó a ocupar las trincheras, emplazar ametralladoras y ensayar diversas formas del *plan de emergencia*. En aquellos días de tensión por la etapa anterior al inminente combate, el polémico y controvertido ex ministro de Obras Públicas, Alvaro Leyva Durán, fue uno de los personajes que estuvo en la conmemoración del primer mes de la muerte de Jacobo.

---

[38] Ejército popular de liberación, grupo guerrillero fundado en 1967 por el partido comunista marxista-leninista línea pro-china, en los departamentos de Córdoba y Antioquia.
[39] Más conocido como marrano mono.

Recuerdo que Leyva habló largo rato con *Tirofijo* acerca de la doble política que tendría Gaviria con el movimiento armado. Le pronosticó como evolucionaría la venidera Asamblea Nacional constituyente que sesionó en 1991 para cambiar la carta política de los colombianos, y además recomendó que la coordinadora nacional guerrillera (cng) debería asumir un papel beligerante, de lo contrario los guerrilleros desmovilizados del epl y le M-19 se robarían el show, pues hasta Alvaro Gómez Hurtado conocido por ser de la línea dura aprobaría posiciones del M-19 en la Constituyente, que pondrían en vilo la cng, máxime que ya estaba muerto Jacobo el inspirador de la idea de integración guerrillera.

Leyva Durán comentó que personas cercanas lo notificaron de la intención del presidente Gaviria de colocar un funcionario civil en calidad de ministro de Defensa y por ultimo refrendó la decisión del gobierno de ingresar con las tropas oficiales a *casa verde*. Por esa razón estoy seguro que la mañana del 9 de diciembre cuando *tirofijo* utilizó la palabra *los negritos* para significar los infiltrados de las farc en el gobierno y el Ejército, hacía tácita referencia a Alvaro Leyva Durán. Desde cuando lo conocí en *casa verde* me pareció que Leyva es el típico lagarto, politiquero, vivifácil, adulador, habilidoso, e imaginativo farsante que en cada acto busca su beneficio personal.

Con todos los rasgos característicos de las dos partes negociantes, creí y sigo creyendo que es muy difícil lograr la paz, pues mientras la guerrilla utiliza el engaño y la mentira para posicionarse fuerte en la mesa de conversaciones, la mayoría de quienes representan al gobierno van únicamente tras la figuración personal y la búsqueda de futuras ganancias electorales. Igual sucede el interior de las farc. *Tirofijo* cree que los réditos deben converger en beneficios agrarios al estilo comunista, pues desconoce y además poco le importa la vida de las ciudades.

Su fuerte es la estrategia militar operativa y la habilidad táctica para engatusar gobiernos de turno. Cano, mas audaz y solapado, utiliza a Marulanda como la figura legendaria que mantiene en pie de lucha a miles de campesinos armados. Pareciera ser que ni entre ellos estuvieran de acuerdo cual va a ser la forma de manejar el objetivo final que si es compartido: la toma violenta del poder.

Si las farc no estaban unidas en esos criterios mucho menos lo iba a estar la coordinadora nacional guerrillera. Lo curioso del asunto es que ante la fallida ofensiva final lanzada por la guerrilla salvadoreña a finales de 1989, llegaron hasta el campamento del secretariado de las farc documentos que indicaban la tendencia negociadora del Frente Farabundo Martí, con la participación de Belisario Betancur y Augusto Ramírez Ocampo.

Cano ordenó a unos de sus ayudantías, que era improrrogable tomar contacto con Alvaro Leyva para que nos tuviera actualizados de todo. Con la malicia de zorro en madriguera *tirofijo* llamó a Cano y le ordenó:

-V*ea camarada. Ponga ahí* en un documento cuales son lineamientos del partido comunista y cual es la forma de ver de las farc. *Vusté* que tiene mas habilidad para redactar. *Ponga ahí* eso-

A partir de ese día comprendí mejor la relación entre los dos jefes. No es que Cano sea el progresista y *Tirofijo* el guerrerista. Ambos son iguales y comparten las mismas líneas de pensamiento, lo que pasa es que Cano aprovecha mejor su formación académica superior para expresar y manipular sus opiniones. Pero en conclusión, la intelectualidad y el crimen se unen y se repulsan acorde con las circunstanciales conveniencias de las farc. En síntesis: existe un plan estratégico con objetivos definidos, a pesar de algunas diferencias personales.

Pero retomando el hilo de la narración, al filo de la media noche de aquel agitado día regresamos para el campamento de Hueco Frío. Como ya lo narré yo andaba feliz pues estaba otra vez con Nayibe. *Cambuchamos* como a las dos de la mañana, con seguridad casi nula, pues veníamos cansados y en honor a la verdad, ningún guerrillero quería prestar *la posta*. Si hubiese llegado el enemigo, nos habrían aniquilado dormidos.

Entretanto *tirofijo* salió al mando de una gruesa columna de guerrilleros y civiles para despedir a los visitantes. Es la única vez que vi al *camarada* Manuel permitir esa romería populachera sin las tradicionales medidas de seguridad en la vanguardia, los flancos y la retaguardia, asuntos de los cuales es demasiado celoso. La marcha guerrillera para realizar el cambio de lugar fue desordenada, sin ninguna medida de orden táctico, con impresionante bullicio de montonera, en la que civiles y guerrilleros departieron amenas charlas, en contra de todos los fundamentos operacionales de las maniobras guerrilleras.

Pasamos muchos días *remolcando*[40] remesa desde el río Papamene hasta *casa verde*. Los víveres fueron traídos desde Colombia Huila y dejados a guardar en El Ranchón con campesinos afectos a la causa. Uno de los centros de acopio fue el taller de armería del comandante Alipio a orillas del río Platanillo. Allí encontré a José y Erika los dos guerrilleros nicaragüenses. En esos días los dos extranjeros elaboraron granadas para fusil de fabricación artesanal, disparadas con

---

[40] Cargando

viejos fusiles de perilla guardados en *caletas* depósitos de las farc por ser armas inservibles.

Así transcurrió el mes de septiembre de 1990 y la mitad del siguiente. El 17 de octubre *tirofijo* presidió los actos culturales para celebrar el aniversario de la revolución rusa e inclusive se refirió a las divergencias de la época entre Boris Yeltsin y Mijail Gorvachov. Luego Cano disparó un encendido discurso apropiado para el presidente de un comité estudiantil universitario, que por lo enredado de la terminología no convenció a nadie.

En ese preciso momento recapacité que la mayoría de quienes ingresamos a las farc, lo hicimos por ignorancia, incultura o desconocimiento y no porque seamos personas revestidas de profundidad política marxista-leninista, o criminales a ultranza. Lo grave es que estuve engañado de principio a fin.

En noviembre del mismo año, la *escuela nacional de cuadros* trasladó la sede para el *rincón de los abuelos*, con el propósito de realizar durante tres meses un cursillo básico de comando de unidades dictado por instructores colombianos, bajo la dirección de Pacho y Beatriz Arenas. No fui escogido entre los profesores, pues *tirofijo* ordenó reestructurar las compañías de seguridad del secretariado.

El 15 de noviembre se conformaron tres compañías de combate, cada una con 100 guerrilleros, bajo el mando de Norvey o *gallo basto* (muerto en Uribe el 9 de diciembre), Joaco Cauca y Walter Ríos. Volví a pasar al rol de subalterno, pues me quitaron el mando de una compañía y me entregaron una guerrilla que es la mitad de personas. Allí estaba Arquímedes el hombre que ocupara el primer puesto en el duro curso de comandante de compañía con los extranjeros y el mismo relevante que nos sorprendió dormidos en otro campamento.

Por falta de experiencia y de continuidad en el combate de posiciones, creíamos ser inexpugnables en el bastión de *casa verde*. Allí sufrimos en carne propia, porqué los ataques guerrilleros masivos debilitan la defensa de las bases militares, pues por muy atrincherado que esté el defensor, la presión se fortalece debido a la facilidad de maniobra que imprime el atacante.

Todos los días ocupábamos las trincheras desde muy temprano mientras un grueso grupo de guerrilleros sin experiencia en combate encabezados por Cano, los hermanos Arenas, Andrés París, los teatreros y Raúl Reyes sacaron los archivos mas valiosos y muchos secretos de la organización. Supongo que como la entrada militar a *casa verde* era una decisión política, diversos *politiqueros* con acceso a las altas esferas del gobierno central violaron el secreto de la operación para granjearse amistades futuras con los jefes de las farc.

Tirofijo nos advirtió y en eso coincido con el pues pienso que el presidente Gaviria fue astuto y a la vez desleal por parejo con guerrilleros y militares, porque a ambos nos hizo creer que su gobierno brindó las posibilidades de obtener exitosos resultados dentro de la confrontación. Tal vez por esa razón Cano decía que *Gaviria es mas falso que una moneda de cuero*. A eso le llaman dizque procedimientos de la política, y consecuencia de esa política es que el pueblo se desangra en una guerra insensata, engañado para combatir contra el Ejército y el Estado.

Por cuestiones de la trashumancia guerrillera de la que tanto hablara Jacobo Arenas, nos separamos con Nayibe. La situación fué cada vez más crítica, total que Marulanda a regañadientes autorizó el ingreso de mujeres a las compañias móviles, privilegio hasta ese momento concedido a los varones.

Por coincidencia *la cabra* Mariela quedó en la misma compañía donde yo estaba. Ni corto ni perezoso volví a visitarla. La información llegó a oídos de *tirofijo* quien ordenó fusilar a la próxima mujer que quedara en embarazo y dispuso que les dieran las facilidades para los abortos a las embarazadas, pues el y la revolución las necesitaban para tirar en el campo de batalla y no para *tirar*[41] *en el cambuche con los camaradas*.

Alfonso Cano, quien tenía prevista una reunión para tratar temas políticos con representantes del eln y el epl a comienzos de diciembre, trasladó la sede de su campamento para el sur del Tolima. *Tirofijo* se quedó en el pueblito, lugar en el cual nos reunió a las tres de la mañana del 9 de diciembre.

En una breve charla ordenó:

- Ocupen las posiciones puesto que los *negritos* confirmaron que hoy es el ataque. Aquí quedan buenos combatientes. *Pelien duro* (sic). Yo los espero en El Rucio y desde allá les *mandó* refuerzos cuando los necesiten. Les deseo suerte y mucha moral revolucionaria-

Los *rancheros* prepararon el desayuno. Algunos guerrilleros no creían que se aproximaba la operación militar, pues pensaban que se trataba de un ensayo para estar prevenidos. Pero la verdad fue que a las 07:15 AM comenzó el bombardeo. Los estallidos de las bombas ensordecían. Parecía el fin del mundo. Caían pajaritos muertos, esquirlas de los árboles, ráfagas de ametralladoras. Así inició el vertiginoso desembarco de tropas. Mejor dicho en el cielo de Uribe apareció el hasta ese día inexistente estado colombiano con toda la dimensión de su poderío militar aéreo y terrestre.

---

[41] Tipicismo de sinonimia para fornicar.

De inmediato comenzaron los combates. Los guerrilleros teníamos ametralladoras M-60 y punto 50 emplazadas en lugares estratégicos, para cubrir zonas del terreno por donde deberían pasar las tropas. Aclaro que días antes de producirse la operación Colombia fuimos reabastecidos con fusiles y diversas armas con sus respectivas municiones, por lo tanto teníamos con que responder al ataque.

Los días 9, 10 y 11 de diciembre de 1991 fueron dramáticos. Quienes ocupamos las posiciones de primera línea, soportamos el progresivo desalojo de las trincheras producido por el demoledor ataque del Ejército. Aunque teníamos víveres para preparar comida fue imposible cocinar, ya que el nivel e intensidad del fuego y la maniobra del Ejército, obligaron que hasta los *rancheros* se comprometieran en combate.

Tirofijo ordenó que retrocediéramos hacia la última línea de trincheras, es decir que nuestra defensa ya había sido totalmente penetrada por el Ejército. Desesperados se reunieron los 18 comandantes en una trinchera para evaluar la situación militar, sin atender la recomendación de la inconveniencia de agruparse todos, pero pudo mas el estrés que el criterio táctico, por lo tanto decidieron intercambiar ideas acerca de la forma de conducir una retirada decorosa, pues todos los planes de contingencia aquellos que días antes creímos magistrales en el papel, habían sido vulnerados en el terreno por el enemigo.

Un bombardero de la Fuerza Aérea descargó una pesada bomba que cayó justo sobre la trinchera donde estaban reunidos los 18 comandantes. Marulanda ordenó sacar los cadáveres de 10 de ellos y enterrarlos para que las tropas no tuvieran un trofeo para mostrar. Cundía el desespero. Por fuerza del destino asumí el mando de las tres compañías.

Aturdidos por el estallido de las bombas quedé petrificado cuando vi a Osman con las vísceras afuera exhalando los últimos suspiros de otra turbulenta existencia. Unos guerrilleros lloraban de terror. Otros estaban adormecidos en el piso doblegados por el cansancio de tres días de constante asedio y la falta de alimentos sostenidos.

Tomé el radio y hablé con Marulanda:

- *Camarada Manuel:* El enemigo penetró las *cortinas* que teníamos. Tenemos 10 comandantes muertos y 8 heridos. Estoy aturdido esperando órdenes, porque lo mejor es perder la posición antes de perder más gente-

Con frialdad contestó:

- Bueno viejo.... No se desmoralice. Reubique las tres compañías y combata. Resista que *vusté* todavía no sabe lo que fueron Marquetalia y Riochiquito. Esta tarde o mañana a primera hora ya estarán nuevos mandos la frente de la situación. Por ahora aguante mientras nos organizamos aquí para seguir retrocediendo. Recuerde que a esos 18 *los jodieron* por indisciplina. Por no hacer las cosas como se les dice. A los que queden vivos hay que hacerles consejo de guerra-

De antemano comprendí que correría igual suerte si cometía algún error antes que llegaran los refuerzos.

Se empleó mucha gente para sepultar los muertos en detrimento de la defensa de las últimas posiciones. Por pura suerte se logró ese propósito pues el Ejército nunca descubrió la fosa ni llegó hasta donde escondimos los heridos. Aquí es necesario hacer un reconocimiento al tesón y el empuje que pusieron los *hambreados* guerrilleros, para evitar ese triunfo del enemigo. Sabíamos que donde los encontraran cantarían victoria mostrando los cadáveres ante el mundo entero.

Entre tanto Raúl Reyes desde la Caucha casi lloraba pidiendo a *tirofijo* que lo orientara para donde coger pues estaba desesperado. Malhumorado *tirofijo* le narró el episodio de los 10 *comandantes* muertos, e hizo hincapié en que ojalá, por allá no fuera a pasar lo mismo.

Asumí todos los riesgos y el 12 de diciembre al amanecer, preparamos comida caliente detrás de las trincheras, lo cual cayó como maná del cielo. No hice otra cosa que implorar la llegada de los refuerzos, pues ya estábamos extenuados, con la munición agotada. Nuestra continuidad en combate dependía de un milagro.

El Ejército avanzaba con disciplina táctica hacia la última línea de trincheras. Lo único que retardaba el avance de los soldados eran las pocas trampas explosivas y campos minados que aún quedaban en el espacio entre ellos y nosotros. Creo que en ese momento, todos pensábamos: *Ojalá se acabe este combate* o en desertar de un infierno indescriptible.

La única esperanza que nos quedaba de sobrevivir se fincaba en tres posibilidades: Abandonar las posiciones y efectuar un repliegue circunstancial. Que los soldados se devolvieran, lo cual era improbable. O que los miembros del partido comunista urbanos con la ayuda de ong´s simpatizantes, convencieran a gobierno para que detuviera la operación. En ese momento sentí el verdadero peso de la carga de rebelarse en armas contra el Estado.

Los bombardeos de la aviación nos sacaron de las trincheras. Retrocedimos desperdigados entre el monte. Mirábamos el paso de los aviones y nos escondíamos detrás de los árboles para dar vueltas alrededor de ellos con la boca abierta y los oídos tapados con las manos. Vi guerrilleros defecar en los pantalones. Otros se orinaron en la ropa. Otros entraron en crisis de nervios y uno se suicidó de pensar en el implacable *consejo de guerra* ordenado por Marulanda si perdíamos la posición de combate. Vi a dos guerrilleros que vomitaban bilis.

Marulanda insistió por el radio en mantener en alto la moral de los buenos revolucionarios. E inclusive dijo que de allí deberíamos salir algunos vivos para contar la historia. Mariela estuvo peleando a mi lado con un fusil AK-47. Ya estaba embarazada. Ese episodio me hizo recordar los relatos de las guerras civiles entre liberales y conservadores, cuando las mujeres además de cocinar y lavar, con mucha valentía morían al lado de sus hombres.

El ejemplo de Mariela como el de Noralba la valiente mujer caqueteña que me acompañó para salir de la encerrona en Puerto Crevaux en 1982, revela los valores que tienen nuestras campesinas, virtudes que bien canalizadas serían un cúmulo de grandeza para un país tan descuadernado por culpa de la violencia y en especial de los gestores intelectuales de la misma o por quienes la propician debido a la deshonestidad administrativa.

A las seis de la mañana del 13 de diciembre *levantamos vuelo*. Por el camino encontramos el ansiado relevo, pero continuamos hacia El Rucio, donde llegamos cuatro horas mas tarde. Marulanda ordenó desencaletar mas municiones para proveer a quienes estaban peleando. Coordinamos el sitio de recepción.

A las cuatro de la tarde, *tirofijo* dispuso que dos horas después debería salir con una guerrilla de 25 hombres para apoyar a Gaitán y a Onofre también empeñados en encarnizados combates. Autorizó que tomara un baño y comiera algo. Cuadramos una cama con Mariela que tenía inducción al vómito. Fui donde Marulanda con cara de *ternero regañado* para ver si cedía y me dejaba descansar esa noche, con el argumento de la enfermedad de Mariela.

Pero el *camarada* Manuel fue inflexible:

- Compañero Johny: Se le reconoce lo que hizo, pero tememos una situación grave porque Onofre o se está haciendo el *huevón* o lo tienen *jodido*. *Vusté* vaya para allá y lo apoya con la guerrilla, para que haga retroceder al enemigo que se está metiendo con ganas por ese lado-

Como toda mujer leal a su compañero Mariela empacó mi morral con algunas provisiones de reserva. Enfrenté un gran dilema en las cumbres andinas. Mientras avancé hacia el sitio de Onofre, muchas ideas revolotearon en mi mente. No se si fue la valentía de Mariela o la amenaza de *tirofijo* para asesinar a las embarazadas, o el fuego aterrador de la aviación enemiga, o las caras de los desconsolados guerrilleros en huida, o fue que Dios apareció en mi camino para que viera la necesidad moral y física de renunciar a la guerrilla.

No sabía cuando pero ya había algo que inducía a huir de la posibilidad de perder la vida en combate contra un enemigo que ni conocía ni sabía porque lo enfrentaba. O quizás por el temor de volver a caer en uno de los tan mentados *consejos de guerra revolucionarios*, pan diario de la vida en los campamentos de las farc.

Capítulo V

Estremecedor final de una pesadilla

Mi retiro de la guerrilla estuvo salpicado de sucesos violentos, que de una u otra forma guardan proporción con la intensidad de lo perverso que conocí en las farc, decepcionado de la vida porque no conseguí el sueño de llegar a ser el *Cochise* del Huila. Doce, casi trece años de militancia guerrillera por campos, ciudades, caminos, veredas, selvas y montañas, dejaron profundas huellas en mi ser. Tal vez los sucesos relatados justifiquen la forma sangrienta como escapé de las farc.

Inválido, agobiado por la indoblegable tendencia al alcoholismo, sin otro recurso a mano que sincerar el alma ante aquellos escépticos que atónitos leerán este testimonio, o ante los guerrilleros que intentaron fusilarme, queda la constancia histórica de lo que significa para una criatura del universo cometer atrocidades contra la especie humana, sin otra formula de juicio que el arrepentimiento ante Dios y ante los hombres, en espera que las justicias humana y divina, sean exactamente lo que contiene su filosofía: imparciales con este pecador.

No clamo clemencia. Tampoco pretendo desprestigiar la guerrilla persé. Ni aspiro a ganar indulgencias con camándula ajena. De todo corazón quiero aportar un grano de arena colmado de sinceridad, para que de una vez por todas se destapen las verdades acerca de todas las violaciones a los derechos humanos de las víctimas actuales y potenciales, cometidas por las farc contra el campesinado, la gente pobre a la que arguyen defender, los ganaderos, los agricultores, las gentes comunes y corrientes, los militares, los policías y en especial la guerrilla que se devora a si misma.

Deseo gritar tan fuerte que mi clamor sea escuchado en todos los campamentos guerrilleros en Colombia. Para que los 18.000 guerrilleros de las farc en armas y las redes de apoyo, se reconcilien con Dios y con los hombres, para que Colombia sea un país digno de habitar, para que no se sieguen mas vidas de personas con vitalidad potencial para producir la ansiada riqueza, que elimine la pobreza estructural, pero en especial para que el oscuro contubernio de la política extremista con el dinero del narcotráfico, no manche con mas sangre el destino colombiano, a nombre de una revolución imposible y demencial.

Maté por temor a morir, para sobrevivir, pero no del Ejército ni de la oligarquía, que de acuerdo con las teorías leninistas eran mis enemigos de clase. No, no, no..... Maté para sobrevivir de las peligrosas tramas que a diario urde la guerrilla, donde los fantasmas de la traición y la delación rondan por doquier.

Aspiro encontrar la comprensión, respuesta difícil dentro de una sociedad signada por el egoísmo, pues creo que al relatar vivencias reales e irrefutables, estoy contribuyendo con sensatez para que los colombianos conozcan de cerca el fondo del problema de la guerrilla, para que muchos incautos hasta ahora engatusados, no ingresen a las farc, para que la historia se escriba con imparcialidad, con base en los testimonios de quienes somos sus arquitectos, desde la posición crítica neutral y no amañados por que la mentira es débil y endeble.

Retomo el tema de lo sucedido en Uribe, para contar que salí esa tarde a las seis con el propósito de apoyar a Onofre.

Tres horas mas tarde alcanzamos sus debilitadas posiciones. No me dejó llegar cuando ya estaba dando la orden que nos desplazáramos hacia el río Papamene. Iracundo e impulsado por los pensamientos que maquiné durante el recorrido manifesté:

- Vea *camarada* Onofre, yo no vengo de pasear. Son casi cinco días de combate en primera línea. Bajo el inclemente fuego de la fusilería enemiga, asediado por las bombas de los aviones y fuera de eso aguantando hambre-

Onofre replicó:

- El *camarada* Marulanda sabe eso a la perfección. No le discuto lo que dice porque ya Manuel me lo comentó por el radio, pero la orden es que siga, localice y enfrente una tropa que avanza por la orilla del río con mucha verraquera-

Disgustado y ante la manipulación del asunto por parte de Onofre, avancé con 25 guerrilleros hacia la orilla del río Papamene. Llegamos a la casa de un campesino muy colaborador nuestro y sin ninguna medida de seguridad preparamos comida para todos.

A las cinco de la mañana ya estaba Onofre en el radio:

¿Qué hubo Johny?....¿Tiene los soldados a la vista, o no?

-No, pero ya estamos haciendo las exploraciones del terreno e instalando los observatorios- contesté lánguido.

- Entonces.... ¿Qué espera para cruzar el río y buscarlos por el otro lado?- agregó con visos de mal humor en la voz.

Para no tener problemas con Onofre, organicé tres grupos de comandos. Justo al frente de nosotros encontramos la humilde vivienda de un campesino, donde estaba en proceso de recuperación una guerrillera que acababa de dar a luz un bebé. Le ordenamos que escapara y dejara el crío con los moradores de la vivienda, porque los encargados de comunicaciones interceptaron una señal del Ejército, en la que ordenaron a un capitán ir a capturarla.

La guerrillera partió camino hacia el cerro donde estaba Onofre, pese al riesgo de ser encontrada por la tropa que llevaba tres días en continuos combates con esa avanzada.

En efecto a las nueve de la mañana aparecieron en el camino dos soldados vestidos con mudas de ropa civil, armas cortas y dos granadas de mano. Sin pensarlo dos veces ordené que los mataran y les quitaran las armas. El ruido de los tiros alertó la patrulla, que a 500 metros esperaba el regreso de los dos *agentes de inteligencia*. Al instante entramos en combate. Llegó el apoyo de fuego del helicóptero artillado. De milagro cruzamos el Papamene. Llamé a Marulanda y le comenté lo sucedido.

- Muy bien *cuñado*, yo si decía que *vusté* era ficha clave en esa *movida*- contestó el jefe de las farc.

En respuesta al desorden táctico, la indisciplina y la evidente cobardía de Onofre que buscaba que yo atrajera las tropas para mi lado y le aliviara la presión a el, celebré los relativos logros en los combates en una casa campesina desocupada. Como vulgares ladrones robamos gallinas, conejos y huevos, con el argumento que nos doblegaba el hambre. Después Alfonso Cano publicó varios comunicados para responsabilizar al Ejército de esas tropelías en las casas desocupadas por los campesinos temerosos ante la intensidad de los combates.

La actitud del *camarada* Cano me recordó las enseñanzas de los instructores cubanos, cuando estudiamos en detalle el *catecismo del revolucionario*, escrito por un terrorista soviético, que enseña a mentir, a cometer barbaridades, a no tener escrúpulos para actuar, pues siempre priman los intereses de la revolución sobre los personales. Al fin y al cabo para los comunistas de todo el mundo inclusive las farc: *El fin justifica los medios*.

El tiempo transcurrió veloz. Mariela salió para Vistahermosa donde nació nuestro hijo. Ya no era la *locata* de antes. Imposible volverla a llamar *la cabra*. Se veía mas madura y preocupada por el hecho que fue obligada a dejar el bebé en casa de unos milicianos de las farc residentes en el área urbana de Vistahermosa y retornar al monte, pasados tres meses del alumbramiento.

Tirofijo continuó el repliegue y las maniobras de engaño para enredar a las tropas que lo buscaban por toda el área. Nosotros instalamos una emboscada sobre la orilla del río. Por allí pasó tirofijo con la seguridad personal rumbo hacia la armería, desde donde continuó durante un año la dirección de las acciones contra el Ejército, hasta convencer a los militares que se encontraba fuera de la zona de la antigua *casa verde*.

Un año después del ataque a *casa verde, tirofijo* organizó una fiesta en la *armería*, a la que no asistimos quienes estábamos sancionados por diversos actos de indisciplina y el robo de los animales domésticos a los campesinos, pues según me dijo Marulanda:

- Aunque mantenemos la caña que fue el Ejército, *vusté* sabe que aquí adentro no se le perdona a nadie una *cagada* de esas-

Al comenzar el año 1993 *tirofijo* continuó la ruta hacia el Guayabero y el Bajo Pato, de donde se movió hacia el río Itilla en el Guaviare, para presidir la octava conferencia de las farc, en la que se evaluó la perdida de 150 guerrilleros entre muertos, heridos, desertores y personas que pidieron la salida, desde el día que comenzó la Operación Colombia contra *casa verde*.

Al iniciar la marcha Marulanda iba de sexto hombre en la primera escuadra del grueso, pues la vanguardia iba dos horas adelante. Caminábamos con parsimonia pero seguros, solo llevaba una pistola y un morralito *minicrucero* a la espalda, la inseparable toalla colgada al hombro y una botella plástica llena de agua a manera de cantimplora.

En razón a que Mariela ya era madre de un niño y había solicitado el retiro de las farc, sin recibir respuesta a la petición, fue incorporada al grupo de *tirofijo* y cambiada por Nayibe quien volvió a mi grupo. La despedida fue dramática.

Con lágrimas en los ojos Mariela me dijo:

- *Negro* voy a volver a hablar con el camarada Manuel para que me de la *salida*. Si no me la concede, escapo. .....Johny, *volémonos* los dos. Esto se pone peor cada día que amanece. Y por favor no me vaya a traicionar con Nayibe-

- Le prometo que no. Estoy viendo la forma de escaparme para ir a buscarla a Vistahermosa- contesté.

-Está bien- dijo Mariela y me abrazó con fuerza.

Los tormentos se fueron juntando. Por un lado las súplicas de Mariela. Por otra la adicción que ya tenía por las bebidas alcohólicas y por otra la estresante monotonía de la selva en condición de perseguido, hicieron metástasis. Utilicé como excusa justificativa para cometer otro acto de indisciplina, el hecho que no pudimos asistir a la fiesta del 24 de diciembre. Por esa razón el 17 de enero reuní los hombres bajo mi mando para inducirlos a faltar contra el reglamento *fariano*.

De manera premeditada fuimos a la casa de Angelino un colono *fundado* a orillas del río Sorrento y nos sentamos en medio de un extenso cultivo de guayabas a beber trago en compañía del labriego. Onofre tuvo conocimiento de ese acto de indisciplina y me quitó el mando de la guerrilla, por lo que encargó del grupo a Nolver *el mocho,* un cucuteño proveniente del frente 33 enviado a una de las compañías de seguridad por sugerencia de Granobles el hermano del mono Jojoy, con reputación de muy audaz en la frontera colombo-venezolana, para colocar petardos contra las instalaciones petroleras, donde para mayores señas Nolver perdió una mano.

Los primeros días de febrero de 1992 fueron fastidiosos. No podía olvidar las palabras de despedida de Mariela. Confesé a varios de los que me acompañaban que jamás creí ser un romántico revolucionario ni un forjador de nuevo país. Mas bien sentí ser utilizado como una ficha que producía violencia y daba réditos a un partido político, que jamás pensó en mí como ser humano. No se como definir ese trauma.

El Ejército no cesó la presión. El *secretariado* envió una comunicación en clave criptográfica para disponer nuestro repliegue inicial hacia el río Tigre, hasta buscar la confluencia con El Guayabero, donde una comisión nos guiaría hacia un lugar X, con el fin de realizar una asamblea guerrillera anterior a la novena conferencia de las farc.

Al cabo de la marcha forzada en la que iba ansioso por saber la suerte de Mariela, nos reunimos con *tirofijo* en un paraje que parece el paraíso terrenal. Clima excelente, abundantes cursos de agua, variadas fauna y flora, peces multicolores y la paz absoluta en medio de la selva.

Al llegar al campamento encontré de manos a boca con la compañera de *Tirofijo*. Fui directo al grano:

- *Camarada*: ¿podría decirme dónde está Mariela?

- El *camarada* Manuel aceptó darle la salida. Se fue con la familia para Medellín del Ariari, pero aquí entre nos le cuento, ella dijo que no quiere que usted vaya a buscarla nunca. Que se olvide que ella y su hijo existen, pues cree que usted es un borrachín irresponsable, y además ella se enteró aquí que le incumplió la promesa de no estar con Nayibe.

Quedé desarmado o mejor dicho de una sola pieza. Otra mala pasada de esas que da la vida a quien actúa de manera irresponsable. Claro que en el fondo tenía razón pues fui sancionado varias veces por el excesivo consumo de licor y además porque era cierto que de nuevo convivía con Nayibe, en contraste con la promesa hecha a Mariela.

Transcurridos 12 meses de la Operación Colombia vi a Tirofijo diferente. Remozado, pausado y analítico, sin el desespero propio de aquellos días de duras batallas en *casa verde*, pero eso si, muy crítico y directo en los análisis:

- Perdimos militarmente a *casa verde* pero ganamos políticamente. La guerra tiene ascensos y terreno llano. Las guerrillas no pretenden consolidarse en el terreno sino ganar la aceptación política de los habitantes de cada zona. Para la historia de Colombia, la resistencia de La Uribe es tan importante como la de Marquetalia. Es cierto que perdimos 150 combatientes y algunos de ellos *comandantes*, pero el resultado final fue provechoso, porque el enemigo no pudo destruir, ni siquiera tocar el corazón del movimiento guerrillero. Ya la gran prensa capitalista está criticando al Ejército y al gobierno por la falta de efectividad. Así los desgastamos poco a poco. Mientras que ellos pelean entre si, preocupémonos por construir más y mejores revolucionarios-

La reunión para el balance demoró quince días. Todos los jefes se fueron contentos a pesar de las bajas, aunque muchos de los guerrilleros las catalogáramos como decepcionantes. Es probable que para los jefes fuera un éxito estratégico a pesar de la derrota táctica. Son las contradicciones de la guerra en las que en honor a la verdad, son maestros *tirofijo* y sus asesores.

En la reunión de análisis y autocrítica, hubo varios compañeros sancionados entre ellos quien esto escribe. Fui despojado temporalmente del mando producto de los actos de indisciplina en el río Papamene. A dos muchachos hijos de colonos de la vereda Yavías comprometidos en la falta conmigo, se les perdonó la vida pero les impusieron severas sanciones.

Marulanda repitió la amenazante orden de fusilar a toda mujer guerrillera que estuviera embarazada y dirigió el *ajusticiamiento* de 10 guerrilleros juzgados por deserción y actos de cobardía durante los combates cerca al cerro El Rucio un año antes. También fueron juzgados pero perdonados los 8 sobrevivientes de la bomba en la trinchera. Por razones obvias hice parte del grupo de *ajusticiamiento*.

Fueron dos semanas de aparente descanso, viendo a *tirofijo* y los jefes del secretariado, en especial a Reyes y Cano los dos mas flojos para el combate, decidir la vida o la muerte de otros seres humanos que por azares del destino tuvieron la desgracia de ingresar a las farc.

La guerra continuó y con ella el pesado fardo de la degradación de la existencia humana. Fui enviado a combatir cerca de Puerto Crevaux, para contener y desviar el ímpetu de unas tropas que por poco capturan a Timochenco, debido a que Gerson y Saulo, dos desertores de las farc se entregaron al comando de la Séptima Brigada en Villavicencio y condujeron los soldados al área general del Guayabero, donde acababa de terminar la reunión.

El secretariado dispuso la salida de guerrilleros vestidos de civil para que regresaran al área de Uribe a dictar cursillos políticos y mantener la presencia de la organización armada dentro del campesinado. Este punto de vista es muy importante para las guerrillas. No se puede dejar de asistir ideológica y políticamente la masa. Es una regla de oro para la supervivencia de las guerrillas móviles y escurridizas. En este ambiente operacional fue tomando forma el final de la pesadilla.

Nayibe quedó en embarazo. Los temores compartidos nos obligaron a pensar en que hacer para que no la fusilaran.

- Johny, hemos aportado mucho de nosotros a esta revolución. Me duele que después de exponer la vida tantas veces la guerrilla y el destino nos nieguen la posibilidad de ser padres y lo que es mas nos obliguen a matar tanta gente y fuera de eso a matar a nuestros herederos, como si procrear la especie humana fuera un delito. Quiero escapar de aquí –

- Estoy de acuerdo con usted. Lo que pasa es que me da miedo *volarme*, por temor a que nos maten la familia y porque le cuento que yo no se hacer nada en la vida civil. Lo único que me gusta son las armas- contesté tratando de eludir el tema pero a la vez demostré mi incapacidad y falta de coraje para tomar una decisión trascendental.

- ¡Y de *jartar* trago como un animal, o de preñar guerrilleras!. Johny: ¡Usted es un pobre *huevón!*. Le quedan grandes los testículos. A usted le falta verraquera y le sobra cobardía- gritó furiosa Nayibe y sin pensarlo dos veces propició una sonora palmada en mi rostro.

Después de ese incidente, duramos varios días sin intercambiar palabra con Nayibe, pero el tiempo siempre cura las heridas y nos volvimos a juntar debido a la presión de la guerra. Aproveché la posibilidad de localizar la familia de ella por medio de unos milicianos para que hablaran directamente con el secretariado aduciendo que ella padecía diabetes.

La fórmula funcionó. Otra despedida similar a la de Mariela. El papá de Nayibe la recibió cerca de Jardín de Peñas, la embarcó en un jeep atestado de plátanos, yucas, gallinas, frutas y herramientas. Viajaron hacia Granada Meta, de donde es oriunda Nayibe.

Sin rencor pero con mucho temple, Nayibe miró directo a los ojos y aseveró:

- Tome Johny este radio de siete bandas, este reloj de pulsera, esta foto y el llaverito. Ya sabe donde encontrarme, si es que quiere ayudar a criar a nuestro hijo. De lo contrario haga lo que le venga en gana. Ahí le quedan los recuerdos -

Nos fundimos en un fuerte abrazo. El jeep inició el recorrido hacia el centro del Meta y yo regresé hacia la maraña a continuar el quehacer del revolucionario. Los días subsiguientes tomé mucho trago con los campesinos que nos veían como los héroes de la resistencia. Olvidé para siempre a Yazmín, a Noralba, a Claudia, a Mariela, Johana, a Nayibe y desde luego a mis hijos.

Entré en una etapa de mayor desprecio por la vida humana, por la auto estima, por todo. Quizás las llamas del infierno ya ardían la carne viva para purgar el alma de tanto veneno inoculado. Padecí pesadillas en ardientes hogueras al lado de seres imprecisos y maldadosos de color negro y ojos rojos centelleantes. Lo peor es que no tenía en quien confiar este drama. Bebidas alcohólicas y silencio, fueron el refugio ideal para esconder la personalidad ante las realidades de la vida.

No obstante la depresión sufrida es necesario cumplir las órdenes de la organización. En esos *ires y venires* enmascarado por la *tomadera* de trago, los héroes de las batallas de *casa verde* reclutamos nueve mujeres y dos hombres ilusionados con emular las gloriosas jornadas de combate cada vez mas desfiguradas y fantasiosas, por quienes constituimos mito y leyenda entre un campesinado admirado ante la audacia del *comandante Manuel* para eludir semejante cerco de tropas.

A la comunicación interpersonal de los guerrilleros que visitábamos las casas, se sumaron las transmisiones de la *emisora clandestina resistencia* y los contenidos del semanario

Voz del partido comunista, así como los folletos diseñados por Alfonso Cano y los hijos de Jacobo Arenas.

Hicimos una fiesta en la vereda El Recreo, cerca de la quebrada La Lagartija. En el sitio estuvo Raúl Romero un locuaz activista de la Unión Patriótica, quien después fuera elegido alcalde popular de uno de los municipios del Meta. El mencionado líder político trajo consigo brandy y vodka para celebrar la *victoria del pueblo armado en casa verde*. Bebió y comió con voracidad. Ebrio proclamó vivas y vítores a la revolución a su partido y a las farc. Todos le decíamos *compa*, *compañero o camarada Raúl*.

Dominado por el alcohol echó el brazo por encima de mi hombro, levantó una copa de cristal llena de brandy y me dijo:

- *Compañero Johny*: Quisiera portar un fusil para acompañarlos en la dura brega de acabar con la oligarquía en este país. Pero el *camarada* Cano no me deja. Dice que desde la parte amplia le puedo aportar mucho al movimiento armado y a la revolución. ¿Usted que piensa? -

- Que se metan el cuento de la revolución por donde les quepa. Estoy *mamado*. No creo en la política. Creo en el combate. Por culpa de la política, sea de derecha o de izquierda o de centro, es que estamos como estamos-

- Hip...hip... Johny: No abra mas la boca que ya le hizo daño el licor. Mejor dicho hermano váyase a dormir. Otro día hablamos en sano juicio-

Por la mañana nos volvimos a ver con Raúl Romero.

- Oiga Johny, ¿recuerda lo que me dijo anoche?

-Nada hermano. Estaba tan borracho que no se ni a que horas me quedé dormido- contesté haciéndome el olvidadizo porque sabía que si Raúl me aventaba con los mandos la cosa sería grave.

- Bueno. Menos mal, pues lo que usted dijo, son pendejadas, que no deben salir nunca de la boca de un revolucionario-

- Pero los borrachos y los niños siempre dicen la verdad- terció el dueño de la tienda veredal, un familiar lejano del mono Jojoy, quizás con el ánimo de saber lo que yo había dicho.

-No, no, no, *eso fue mamando gallo*, contesté. *Echémosle tierrita* y sigamos la *lucha prolongada por la revolución*. Mas bien deme una cervecita para calmar la sed- agregué nervioso y con una risa forzada.

Bebimos cinco o seis cervezas, pero no tocamos más el tema. Nunca supe si Romero comentó algo al respecto con los demás guerrilleros. Lo mas seguro es que aquel *camarada* se haya ido para el monte, pues era fehaciente su deseo de hacerlo, amén que recibió entrenamiento militar con una brigada de voluntarios que fue a Nicaragua en 1985 a ayudar al régimen sandinista en la recolección de café.

En esos días llegó al campamento el *abuelo Libardo,* al mando de cien guerrilleros mas, puesto que el secretariado tenía información suministrada por *los negritos,* que el Ejército incrementaría las operaciones ofensivas en la zona. No acabábamos de reorganizar las guerrillas, cuando sonó un disparo de fusil y un grito desgarrador.

Wilson Ruiz tenía el fusil desasegurado y por jugar con el arma accionó accidentalmente el disparador con tan mala suerte que hirió de muerte a Yadira una niña de trece años, incorporada a las farc por ahí cerca de la Uribe. La jovencita murió pese a los esfuerzos del médico Mauricio, quien estaba ese día en el campamento, revisando el estado de salud de los guerrilleros.

Libardo ordenó amarrar a Wilson Ruiz. El consenso general era fusilarlo, porque de inmediato salió a flote el *fantasma de la infiltración* para desconocer el accidente y elucubrar acerca de la torva intencionalidad del homicida. El defensor demostró la inocencia del inculpado, quien fue sometido a severos trabajos forzados.

Curiosamente el *presidente del consejo de guerra* que se decidió por estrecho margen, también fue Edilberto quien hacía parte de la comisión de revisiones enviada por *tirofijo* para evaluar las condiciones del personal que estaba en esa zona. Por esa razón también se hallaban en trabajo de campo Yesid el odontólogo y varios *ayudantías*.

Dos semanas después tuvimos algunas escaramuzas con el Ejército. Me restituyeron el mando por el comportamiento en un combate en la vereda Santander de Uribe, donde una guerrillera llamada Francy recibió un tiro de fusil en una nalga. Armado con un fusil AK-47 de fabricación soviética, me arrastré hasta el lugar donde estaba la herida, y con total desprecio por la *lluvia de plomo*, la ayudé a salir de la *zona de muerte* e inclusive di de baja a dos soldados que intentaron capturarla para llevarla viva y extraer información.

Al regresar al campamento Francy contó al *abuelo Libardo* lo sucedido, presentándome como un héroe revolucionario. Libardo es un hombre hosco, que para dirigir la palabra a los guerrilleros por lo general utiliza términos soeces, *les mienta la madre*, los intimida de entrada, porque piensa tal vez que por medio de la arrogancia reafirma la autoridad.

Como Libardo ya conocía la versión de Francy, pero a la vez yo no sabía que ella hubiera hablado con él, el grotesco personaje exclamó la tradicional sarta de groserías:

- *Otra vez la cagaste no gran hijo de p...*-

Quedé frío, pues este era mas matón que Edilberto y Alonso los dos juntos.

- No, no....no. Yo, yo.. no he hecho nada malo- contesté nervioso.

El mañoso vejete soltó una estruendosa carcajada para burlarse de mi actitud temerosa y luego dijo:

- Como reconocimiento a la tarea que cumplió en Santander, pasa a ser el remplazante de Onofre-

No obstante el reconocimiento al acto de valor en combate, la idea de la huida seguía su curso, pues Arnulfo el jovial socio de tantos años de guerra me buscaba seguido para hablar del tema.

No puedo olvidar su generosidad de campesino bonachón:

- *Mi pelao Johny. Un día de estos nos abrimos de esta chochada.* Claro vamos bien lejos donde nadie nos encuentre, porque si quedamos por aquí nos matan-

En la compañía de Onofre conocí a Sonia una guerrillera apodada *la pilosa*, debido a la paciente tranquilidad con que actuaba para todo. Pero las apariencias engañan porque en un combate cerca de Yavías esa mujer calmada y callada, evitó la muerte de muchos *compañeros,* pues caímos en una trampa montada por los soldados. Perdí dos guerrilleros. Uno de ellos recién incorporado que era hermano de Tobías Hernández un campesino muy conocido en Uribe. Después de ese combate Sonia fui mi s*ocia de caleta.*

Un día llegó la orden del secretariado que Onofre debería asistir a una reunión con delegados del partido para evaluar el estado de la organización de masas en al zona. Di rienda suelta a mi debilidad por la fiesta y el trago. Fuimos hasta la casa de Roque en la vereda El Paraíso. Conseguimos una grabadora, compramos brandy con el dinero de los víveres, prendimos la planta eléctrica y a bailar se dijo.

Hicimos ruido, abandonamos la seguridad y perdimos el control de la situación. A las cinco de la mañana nos sorprendió el Ejército. Murieron Ovidio y Nelson, además que perdimos 28 morrales con documentos y prendas varias, municiones y algunas armas. Fui llamado para responder por el fracaso.

Reuní los guerrilleros, todos responsables del error y acordé con ellos sostener la misma versión:

-Estuvimos de malas porque el Ejército nos sorprendió cuando estábamos atrincherados. La culpa fue de Nelson y Ovidio los dos *postas* de la avanzada que se quedaron dormidos, se dejaron matar y por ahí se metió la tropa. Por eso perdimos los morrales pues el tiroteo comenzó a esa hora y ya los dos *posta*s estaban muertos, mejor dicho los soldados los mataron con arma blanca y por eso llegaron hasta el campamento-

Pero al tratar de exponer la fantástica historia fui recibido por la agresiva actitud del *abuelo Libardo:*

- Otra vez la *cagó* este *hijuemadre.* Ese cuentico que usted tiene espalda para que preciso el enemigo le llegue al campamento a las cinco de la mañana, no se lo traga nadie. Lo que sucede es que usted se mete las órdenes por el *jopo.* Se cree el *rambo de casa verde.* Pues no lo crea mucho. Esto es grave y vamos a ver como lo decidimos-

Simulé estar enojado para no dejar que la intimidación hiciera curso.

- Vea *camarada Libardo.* Yo no entré a la guerrilla para tener mando. Hace poco tiempo estuve como guerrillero de base e hice mucho por la revolución. Déjeme sin mando como un combatiente más y yo aporté a la lucha popular lo que se. No quiero responder más por otros-

Enervado respondió Libardo:

- Entonces: ¿qué?.... don universitario, niño bonito. ¿Se volvió *marica* o qué?-

- Piense lo que quiera pero me respeta porque soy tan hombre como usted. O tal vez más- contesté desafiante.

- No me levante la voz no sea *hijueputa*- contestó

Dos guerrilleros presentes en el lugar de la acalorada discusión, nos separaron y me llevaron a descansar dentro de una *caleta*.

Después de la formación de la mañana siguiente Libardo manifestó en público:

- Johny, usted es un guerrillero antiguo con mas de 10 años de experiencia. Piense bien las cosas para que nos diga que es lo que sucede. Analice que se está volviendo viejo como yo en esta lucha. O es que quiere otro *consejito de guerra*. Usted sabe que allí sale *jodido*. He pensado que usted trabaja bien es con una escuadra, porque no puede tener un nivel de mando mas alto hasta que no madure y tome conciencia de sus deberes dentro de *la revolución*-

Aunque Libardo trató de congraciarse conmigo, insistí:

- No *camarada*. Quiero ser guerrillero de base, *para ranchar, prestar la posta, e ir a las avanzadas*. No quiero responder por nadie más, sino por mi-

Por razones obvias la respuesta enardeció a Libardo:

- Aquí se hace lo que se ordena no lo que a cada quien le venga en gana. Alguien con mas de 10 años en las farc debe comandar por lo menos una escuadra. Así que mientras se decide su suerte se va para la vereda Santander al mando de una escuadra a cumplir una orden operacional-

La misión demoró 15 días, periodo durante el cual cumplí todas las tareas sin ningún problema. Por decisión de Libardo pasé a la compañía de Carlos Alberto Patiño, en condición de comandante de una guerrilla, que tenía asignada una ametralladora M-60. Para mala suerte llegó *el abuelo* Libardo al campamento y encontró la ametralladora sin centinelas y sin estar emplazada. El neurasténico *comandante* vociferó mil insultos. El blanco de los ataques fui yo.

Me jugué el todo por el todo. Ordené reunión de los 25 hombres bajo mi mando y solté una andanada de frases y vituperios similares a los de Libardo, con amenazas que todas sabían no me temblaría la mano cumplir. Sancioné a los responsables de la falta con la imposición de trabajos pesados y entregué la responsabilidad del arma a Arnulfo.

El 9 de marzo celebramos el día internacional de la mujer mediante un acto cultural, al final del cual se dejó un espacio para que ellas opinaran acerca del papel que cumplen en la guerrilla. Casi al unísono pidieron que no se les discriminara. Pues no se contentaban con ser *rancheras en momentos de drama*, porque también querían ser *combatientes de primera línea*. Aunque siempre fui machista, antes de esa fecha había tenido cierta consideración con ellas, pero tales peticiones despertaron en mi un extraño deseo de colocarles trabajos pesados, como si tuvieran la misma fortaleza de un hombre.

A partir de esa semana las incluí en las avanzadas, les asigné tareas pesadas como *remolcar* remesa, hacer huecos, construir trincheras y apoyar todo tipo de labores que requirieran fuerza bruta. Si refutaban estar cansadas les sacaba en cara que ellas mismas lo quisieron así.

Surgió una crisis de mando que llegó a oídos *del abuelo*, quien de manera extraña, recogió todas las mujeres en una sola estructura pero dejó a Sonia conviviendo conmigo. Lo mas probable es que acumulaba en mi favor la fama de matón y lo hecho en *casa verde,* en cierta forma impedían que *el abuelo* fuera mas arbitrario conmigo.

Un mes más tarde en un combate cayeron dos de los mejores comandantes de escuadra de las farc. Perdimos a Fermín y José. Fue un golpe duro, pues ambos eran ejemplares en la conducción de los guerrilleros. El 2 de mayo salimos a cobrar venganza, por medio de una emboscada contra una patrulla del Ejército.

El combate comenzó a las dos de la tarde sin que hubiéramos alcanzado a instalar la trampa mortífera, gracias a una información circunstancial obtenida en el área de combate. Sin lugar a dudas, los milicianos son los ojos de las guerrillas.

Los soldados se identificaban entre si con una balaca roja. Los campesinos de la región integrantes de las milicias bolivarianas nos informaron por radio ese detalle. Como estábamos vestidos con uniforme camuflado nos pusimos balacas iguales. Preciso sobre el camino venían unos soldados que confiados saludaron cuando nos vieron.

Apresurado por el estrés propio del momento, Ignacio mató al soldado que llevaba la ametralladora M-60 y lo despojó de ella. Otro guerrillero mató a un soldado y se apropió del fusil de la víctima. En la acción participamos, Ignacio, Nolver, Boris, Norberto, José y yo, porque en el intercambio de disparos Rubén y Aniceto quedaron heridos y mas tarde murieron.

A medida que transcurrió el mes de mayo creció la intensidad de los combates. Llegaron Hugo y Carlos *paramuno* a reforzar el grupo. *Tirofijo* ordenó que me dieran el mando de una compañía del frente 27 en reconocimiento a la acción donde se recuperaron la ametralladora y el fusil, pero dispuso que Sonia *la pilosa* se fuera para otra compañía a la vez que reestructuró los frentes 27 y 40.

La despidida con *la pilosa* fue una de tantas borracheras en una tienda ubicada en la vereda El Diviso. Bebimos varias cervezas y tragos de brandy en presencia de Alfonso *tabaco el jefe de los rombos milicianos del sector*, quien guardó silencio cómplice al respecto. Nunca más volví a saber de Sonia. A lo mejor ya esta fuera de la guerrilla…. O quizás muerta. Tampoco se si quedó embarazada.

Organicé la nueva unidad en el frente 27 para *anexarnos* por un tiempo a una operación especial del frente 40. Cruzamos el río y arribamos a un sitio denominado el Boquerón cercano a San Juan de Arama. El rasgo resaltante del frente 40 fue la cantidad de jóvenes de 14 y 15 años que vi *enguerrillados*. Claro que sin perder la costumbre de donjuán, al llegar al área del frente 40 puse el ojo en Adriana la enfermera grupo, circunstancial detonante para concretar la sangrienta salida de la organización.

Ahí comenzó el final de la pesadilla. Wilson Ferreira para entonces comandante del frente 40 y uno de los hombres mas experimentados de la organización, demostró celos y envidias desde el momento en que nos vio hablando con mucha familiaridad.

Una tarde después del almuerzo Ferreira tomó con brusquedad mi brazo derecho y dijo:

- Escuche bien Johny: Hace seis meses que estoy detrás de Adriana. No se vaya a buscar problemas conmigo, pues tengo toda su hoja de vida y conozco de sus vicios. Le hablo en serio y no acostumbro a advertir dos veces-

- No se preocupe *camarada* Wilson, pero puedo decirle que es ella quien decide con quiere estar-

La conversación quedó ahí. En realidad yo si tenía deseos de conquistarla porque me acostumbré a estar con la mujer que me gustara, escudado en la fama de matón, temerario y de donjuán.

Caminamos durante tres noches y nos reunimos 300 guerrilleros integrantes de con los frentes 26, 27, 40, 43 y dos compañías del secretariado, en un campamento cerca de la vereda Costa Rica para afinar detalles del asalto al municipio San Juan de Arama. Yo era el mas joven de todos los comandantes comprometidos en el ataque.

El plan consistió en plantear un combate de encuentro al Ejército cerca al sitio conocido como el 32 y luego alejar la tropa del municipio, para tener suficiente espacio de maniobra y tiempo para el repliegue organizado después de asolar a San Juan de Arama.

En la ejecución de la maniobra de engaño, no hubo ningún resultado tangible de bajas en combate, pero los soldados mordieron la carnada y se alejaron del casco urbano detrás de los guerrilleros que atacaban y retrocedían con premeditación.

A las 8:45 de la noche del 26 de agosto realizamos el asalto. De manera simultánea se instaló un retén guerrillero entre San Juan y Vistahermosa. Otro grupo atacó una patrulla cerca un punto llamado el 27. El grueso de la columna guerrillera cruzó el río Güejar en canoas y abordó vehículos contratados por la red urbana.

Ubiqué a un agente de policía que muy bien atrincherado defendía la posición. Obstinado traté de sacarlo de ella. El tipo me ubicó. Permanecimos cerca de tres horas en un duelo personal matizado con insultos mutuos y el deseo individual de cada uno por eliminar al contrario, pero para desgracia cuando llegó le avión fantasma para ametrallar el lugar, una bengala iluminó el horizonte.

Ahora el ambiente parecía estar en horas del día. La luz facilitó al policía mejorar la puntería, hasta que hizo impacto en mi pierna derecha. Retrocedí un poco para aplicarme un torniquete detrás de un árbol donde los encargados de sanidad me atendieron hasta que fui perdiendo el conocimiento y me trasladaron al puesto de salud del pueblo, donde un médico y una enfermera ayudados por Adriana practicaron la intervención quirúrgica. La coartada que planearon fue que si llegara a entrar el Ejército, ellos dirían que era un civil herido en medio del fuego cruzado.

La mentira surtió efectos iniciales, pero el temor de los guerrilleros a que alguien delatara la verdad, variaría el curso de los acontecimientos. Pocos días después en contravía con la orden médica que no podría caminar, fui retirado del centro de salud por un comando guerrillero vestido de civil y llevado al campamento de Wilson Ferreira, con la consecuente infección e inflamación de la pierna, herida que se curó gracias a la devoción y esmerada atención de Adriana, quien extasiada escuchó muchas veces todas las andanzas descritas, aumentadas y desfiguradas para poner mas misterio al asunto.

Adriana es una de las tantas mujeres que carentes de amor o afecto, caen en las redes de la guerrilla y terminan idolatrando a los más experimentados o cometiendo todo tipo de atrocidades, quizás para pretender igualarlos o para ganar reconocimiento social dentro y fuera del grupo.

Las atenciones prodigadas por Adriana aumentaron el odio y la inquina de Wilson Ferreira, quien a sabiendas que todavía no estaba curado del todo, ordenó que saliera a *tropeliar*[42] cerca de Vistahermosa. Luego me envió con un grupo encargado de

---

[42] Combatir.

destruir con explosivos el puente sobre el río Güejar. Dicha tarea se logró después de varios intentos.

En el sector del puente demolido, residen varios milicianos de las farc que alegres cooperaron en la destrucción de la importante construcción civil. Esa extraña sensación de felicidad al cabo de una acción vandálica, hace parte de los exóticos patrones culturales de conducta *fariana* cuando se consuma alguna acción terrorista subversiva.

Asistí sin mayores deseos a hostigar una patrulla militar. Los pensamientos estuvieron concentrados en un amor mezclado con lealtad y agradecimiento hacia Adriana y no en la guerra. Los sucesos simultáneos e juntaron, en la mente de alguien que sin ser santurrón, comprendió que todo eso era violatorio de los derechos humanos dentro y fuera de la guerrilla.

Después del hostigamiento envié una carta a Adriana en la que manifesté:

- Estoy eternamente agradecido con usted por la cantidad de tiempo, cariño y atenciones que me dedicó durante los días que estuve en recuperación. Me gustaría que compartiéramos todo el tiempo y gozar en pareja los momentos inolvidables que depara la vida cuando se está enamorado. De tanto pensarla, ni ganas le puse al último tiroteo. Imagino que Ferreira la sigue hostigando, pero no de el brazo a torcer. Déjelo que sufra. Es un hijo de p....-

Por razones que aún desconozco la carta llegó a manos de Wilson Ferreira, quien lleno de celos y envidias manifestó:

- No descansaré hasta sacar ese *perro* de aquí, pues desde cuando llegó al frente no ha traído sino problemas y dolores de cabeza-

Cuando regresamos al sitio de reunión, apenas me saludó. Ferreira destilaba celos por todos los poros de la piel. Amparado en que tenía el poder emitió la *orden operacional* para emboscar una patrulla del Ejército cerca del río Güejar. Adriana iba en una escuadra cercana a la mía.

Intencionalmente salí con unos guerrilleros a beber cerveza en una tienda y por la noche fui a dormir con Adriana en una cama improvisada que ella preparó como *caleta* con un hule negro, hojas de plátano una sábana y una cobija.

Coordinamos con Miguel el relevante para que nos avisara a las cuatro de la mañana, pero cuando salí del cambuche de Adriana, ahí estaba Wilson Ferreira con actitud desafiante, para preguntar:

- ¿Qué hace por aquí *cuñadito*?... Y fuera de esoo oloroso a licor. Luego, su puesto ¿no es por allá abajo?- e indicó con la mano hacia el sur de la emboscada.

Luego agregó:

- Todo esto lo arreglamos en la reunión de balance-

Preocupado porque di la oportunidad para que me llevara a *consejo de guerra* por abandonar el puesto de combate, reocupé el sitio asignado en la emboscada. Por la tarde llegó la orden de Wilson Ferreira que el grupo que estaba conmigo debería cruzar al otro lado del río para asegurar que el enemigo no pasara por allá. En realidad el tipo planeaba separarme de Adriana. En la margen opuesta del río Güejar tuvimos contacto con una compañía de la Brigada Móvil No 1, que nos hizo ver las *verdes y las maduras*. En esta ocasión la retirada fue un caos.

Antes de hacer el balance Wilson Ferreira me llamó a su caleta para tratar en privado algunos puntos que el planeaba llevar a consideración del consenso general.

Trató de intimidarme aduciendo que:

- Usted promueve por aparte el *individualismo o el grupismo* para afectar el mando del frente y por ende los alcances revolucionarios de las farc-

- ¡También conozco el reglamento *fariano*!- contesté enfadado.

Sin ocultar la envidia respondió:

- Pues parece que no es así, porque por andar como un perro faldero detrás de una mujer, usted se aleja de los lineamientos revolucionarios. Actúa diferente a un guerrillero. Dejó abandonado el puesto de combate por una mujer. Además tiene tiempo para escribir cartas amorosas, pero no para la guerra. Ya la copa está repleta-

-Eso a usted no le importa. Cumpla por su lado y yo cumplo por el mío- contesté resuelto a lo que fuera.

El ambiente quedó caldeado. Esa tarde, por aparte ambos bebimos trago dentro del mismo campamento. A las nueve de la noche tomé la pistola en la mano derecha y fui directo a la *caleta* de Wilson. Iba resuelto a matarlo.

Adriana se interpuso en el camino

- No lo haga Johny. No, por ahora. Primero permítame que yo pueda escapar, para que no me *mezclen en el rollo*, o sino voy a parar a un *hoyo* después de un *consejo de guerra*-

No acepté sugerencias ni peticiones de Adriana. Continué la marcha y me paré frente al *cambuche* de Wilson Ferreira, quien también estaba ebrio y le grité:

- Salga si es varón para tener el gusto de matarlo. Mejor dicho de un paso y lo *relleno de plomo*-

Al instante intervinieron Hugo y Baldomero que estaban en sano juicio. Primero intentaron desarmarme y luego persuadirme. En el forcejeo se disparó la pistola, y herí a Hugo en una pierna. Ante el insólito accidente solté la pistola. Wilson aprovechó para tratar de tomar su fusil pero salté como un gato y lo agarré por la garganta. Quedamos encuellados en un fenomenal forcejeo cuerpo a cuerpo, suspendido por varios guerrilleros que nos separaron y nos convencieron de no dar mal ejemplo por ser dos *comandantes*.

La crisis se manejó a nivel interno del frente. Wilson Ferreira solicitó a Marulanda que como ya estaba curado retornara a la compañía del frente 27 de la cual era orgánico. Como es obvio para no ir a *consejo de guerra* regresé al área del 27 y dejé a Adriana, de quien tampoco volví a saber nada. Wilson tuvo que dejarme llevar la pistola, porque el arma pertenecía al frente 27 y no al 40.

La solución al problema se manejó sin que *tirofijo* conociera los hechos. El solo hecho de tener que trabajar en el 27 bajo la dirección de Martín Villa, uno de los jefes mas sanguinarios de las farc, revivió en mi la posibilidad de escapar para siempre de la guerrilla. Inicié el viaje hacia el área de Villa, con mil pensamientos contradictorios dando vueltas en la cabeza.

Al llegar a Puerto Toledo encontré a Gareca, Gaviria y *el cura*, tres guerrilleros antiguos vestidos de civil, encargados de organizar las redes de milicianos, cobrar la cuota de gramaje a los traficantes de pasta de coca y hacer inteligencia de combate.

Tres vagabundos, consumados bebedores de trago, jugadores de dinero al azar y adictos a la marihuana.

- ¿A que se debe esa cara de aburrido?- preguntó Gareca

Relaté en detalle los pormenores de la situación vivida con Wilson Ferreira.

- Lo que a usted le falta es que me acompañe esta noche donde *patequeso*?- interpeló Gareca con sonrisa picarona.

- Y esa vaina ¿qué es?- indagué ingenuo.

- Un *putiadero*, manejado por *patequeso* el man que era el compañero de Miryam allá en el *secretariado*. Hay buenas viejas, con las que puede tener otras experiencias y olvidar a la tal Adriana- contestó Gareca con tono burlón.

- Nunca he ido donde las putas. Además eso lo prohíbe el reglamento- interpelé con ansiedad y nerviosismo propios de la curiosidad de quien está próximo a cometer una pilatuna.

- Camarada Johny: ¡No sea tan pendejo!. Es que las mujeres y los reglamentos se hicieron para violarlos- respondió Gareca con ironía y agregó:

- Entonces ¿qué?.... se le mide o no-

- Pues vamos para adelante, caminante- respondí.

Esa noche de perdición conocí a Mary Luz una joven de 16 años de edad con tres años de experiencia en el ejercicio de la prostitución. Desde cuando la vi, por el innegable parecido físico entre las dos, concluí que pudiera ser la hija de Marleny y Edilberto y que por ende había perdido trece años de mi vida metido en las farc, pues la niña que mencionara Marleny en el páramo ahora era una mujer hecha y derecha. No sabía como proponerle que fuéramos a la cama, pues era la primera mujer de ese modo de vida que conocía, hasta que ella me insinúo y pidió por adelantado el pago del dinero.

Gareca que estaba observando desde la otra mesa lo que sucedía, vino hasta nosotros, me entregó $50.000.oo, nos deseo suerte y se perdió con otra meretriz. A los 15 minutos apareció *el cura* con una mujerzuela de la misma edad que la mía. Mejor dicho ellos tres eran el azote del pueblito. Hacían lo que querían. A la una de la mañana con alto índice de alcohol en las venas invité a mi acompañante para que fuéramos a dormir. Ella exigió que le pagara por adelantado los $22.000.oo que valía la noche, equivalente al promedio que recogía con varios clientes.

Ingenié varias disculpas para no regresar al monte. Errante por Puerto Toledo esperé que llegará el fin de semana observé a *Alka Seltzer* cobrando la cuota de *gramaje* a los coqueros, a plena luz del día como si se tratara de una transacción comercial común y corriente. De vientre prominente y ojos vivaces, Alka Seltzer era un guerrillero enviado a trabajar con las milicias bolivarianas dentro de la masa, por ser alguien curtido por los años en ejecutar acciones revolucionarias.

- ¿Le provoca una cerveza *compañero*? – preguntó uno de los comerciantes de coca cuando terminó de pagar la extorsión al sudoroso gordiflón.

- Si señor gracias- contesté e inicié una extensa charla con el desconocido de acento antioqueño y extrema cordialidad campechana.

Al calor de la cuarta o quinta cerveza, exterioricé el genuino deseo de abandonar la lucha armada. El hombre palideció, trancó el sorbo de cerveza y con un breve movimiento del bigote hacia delante, me señaló que detrás de mí había alguien. Deje caer una tapa de cerveza la piso y miré de reojo. En la rústica cantina del caluroso caserío estaba sentado *el cura*, hojeando una revista pero sin duda escuchando muy atento nuestra conversación.

Suspendí la charla con el campesino. Nos despedimos de mano. Salí a caminar por los alrededores del minúsculo embarcadero. Sin un peso entre el bolsillo, pensé en vender a los narcos la pistola calibre 9mm que cargaba, y con ese dinero pagar los pasajes para huir del Meta. No se para donde pero ya era una decisión. De repente recapacité y dije para mis adentros:

- La pistola con los tres proveedores es la única fortaleza que tengo. No puedo ser tan *pendejo* en salir de ella. Mejor voy a hablar con Mary Luz-

Estaba ensimismado en tales pensamientos cuando escuché la voz *del cura*, un matón con mas asesinatos entre pecho espalda que cualquier otro pistolero de las farc:

- ¿De donde acá salió *faltoncito?*.... Es mejor que no piense en volarse de las farc porque lo matamos a usted y a su familia. Usted sabe que hablamos en serio, así es que pórtese serio *pelao*-

- No *camarada*, vainas que se me ocurrieron decirle al *raspachín* para sacarle información- contesté apurado.

- No me venga con cuentos chinos. Esté listo porque en cualquier momento vienen a recogerlo para llevarlo donde el *camarada* Martín Villa. Y cuidado con cometer una locura-complementó el curtido guerrillero.

De inmediato fui donde Mary Luz y le narré todo lo sucedido.

- Johny si usted se sale de la guerrilla, yo dejo la prostitución. Nos vamos para otra parte de Colombia. Buscamos trabajo en lo que sea pero dejamos este *infierno*- propuso la joven.

- Entonces muchacha, adelántese para Vistahermosa. Y mañana nos vemos allá antes del medio día en el terminal de los buses de Flota Macarena- sugerí

- Listo Johny. Ahí tengo como 65.000 *pesitos* con ese dinero salimos del Meta. Lo demás vendrá por añadidura-

Encontré de nuevo al campesino con quien estuve hablando en horas de la mañana. Me invitó a almorzar y a tomar otras cervezas. Luego llegaron más *raspachines*[43] y la juerga se prolongó hasta las siete de la noche, cuando Gareca me advirtió:

- Johny, suspenda la *tomata*. Se va a acostar ya en *la pensión*, que yo mañana pago la cuenta pues usted sale para donde sabe-

---

[43] Personas que raspan hojas de coca.

Los campesinos me ofrecieron comida, con la cual bajé un poco los efectos del alcohol. Entré al hotelucho, con las instrucciones de Gareca, tomé un cuarto en alquiler coloqué la pistola debajo de la almohada lista para accionar en caso de algún ataque.

A las cinco de la mañana escuché unos golpes en la puerta.

- Abra Johny. Somos compañeros del 27-

No hubo necesidad de abrirles porque la dueña del hotel les facilitó la copia de la llave. Ahí estaban Milton, Arley y Antonio, con el mensaje que eran los encargados de salir conmigo para el campamento del frente 27, de acuerdo con la orden de Martín Villa.

- Quiero pedirles el favor- dije mirando a Milton- que me permitan estar aquí dos días mas, pues va a venir mi mamá a verme. Ustedes saben, que hace doce años que no la veo-

-Puro cuento suyo- replicó Arley-pues usted desprestigia al movimiento guerrillero, tomando trago y metido en un *putiadero*. Báñese, salimos a desayunar y arrancamos para Piñalito en la primera chalupa que vaya para allá-

Desconfiado entré a la ducha. Con la puerta abierta los tres hombres esperaron afuera porque el cuarto no tenía forma de escape por las ventanas o el techo. Por suerte la pistola siguió debajo de la almohada. Hasta rieron y comentaron cosas sin trascendencia. Tal vez no sabían del arma, o no recordaron la misión de desarmarme a la llegada. Igual sucedió cuando la guardé en la pretina antes de salir del hotel.

- ¿Listos?. ¡Vamos a desayunar!- dije

- ¡Vamos pues!- contestó Antonio

Encontramos una venta callejera de comida trasnochada. La ventera nos sirvió chocolate con pan, huevos en tortilla, arroz blanco y tajadas de plátano. Desayunamos debajo de un arbol. Antonio pagó la cuenta pese a que la señora dijera:

- No se preocupen muchachos. Yo los invito-

Arribamos al rústico muellecito. Subí de primero a la lancha. El motorista era un miliciano de las farc que esperó afuera para que embarcáramos todos. Desenfundé la pistola que ya estaba lista para ser disparada y maté a los tres guerrilleros. Para algo bueno sirvió el *curso de pistoleo*. Los cuerpos de los tres hombres quedaron en el piso antes de subir a la chalupa.

Los pocos campesinos que a esa hora llegaban al mercado del fin de semana, corrieron despavoridos. Encañoné al motorista y le ordené que diera marcha hacia Piñalito. No obstante la gordura *Alka Seltzer* quien por casualidad presenciaba los hechos, corrió como alma que lleva el diablo.

- Lléveme hacia el lugar donde sale Esteban del 44 a *cobrar el gramaje* en el día de hoy- ordené al atemorizado chalupero, quien acató la orden sin contratiempos.

Durante el recorrido puse mucho cuidado a la forma de operar la lancha, pues no manejaba ninguno de esos aparatos desde la época en que hice el curso de comandante de compañía. A mitad de camino el hombre detuvo la motonave:

- Mire Johny, si quiere máteme, pero yo no me voy a *embalar* (emproblemar) con *estos manes*. No puedo seguir manejando. Haga lo que quiera-

Con el inminente afán de escapar y con la certeza que ya podrían estar buscándome, le propiné un disparo en la cabeza, le quité el dinero, el reloj y las botas de caucho porque los zapatos que tenía me tallaban los pies. Luego arrojé el cadáver al río. Continué la operación de la canoa.

Detuve la marcha antes de llegar a Piñalito y por entre el monte busqué el camino que va para Vistahermosa. Una hora después de iniciar el recorrido caí en una emboscada que tenían los guerrilleros del frente 27, quienes ya estaban enterados de la fuga. Corrí como gacela entre el monte donde estuve perdido durante tres días, al cabo de los cuales salí a una carretera, pero estaba desorientado y sin saber nada de Mary Luz quien posiblemente ya no estaría esperando.

Avancé hasta una casa de madera para buscar comida e información de la forma de llegar a Vistahermosa. Era una tienda de campo atendida por Genaro 44, un miliciano y por la mamá del sujeto. Sucio de barro y sangre pedí que me vendiera una gaseosa y tres paquetes de galletas. El tipo atendió el pedido, pero se agachó con artimañas dizque para buscar el destapador de la gaseosa, en cambio sacó fue una escopeta de cinco tiros y me encañonó a la vez que pronunció la frase:

-Tiéndase gran hijueputa o lo mato-

Con agilidad felina adquirida en los *cursos de pistoleo y comandante de compañía*, desenfundé la pistola que en un santiamén coloqué contra la cabeza de la mamá de Genaro y le increpé:

-¡Suelte la escopeta o mato a su mamá!-

El hombre soltó el arma. Disparé y lo maté sin contemplaciones. Así de dura es la guerra *o matas o te matan*. Ordené a la mamá que me trajera ropa limpia. Aterrorizada la señora cumplió el encargo. Empaqué algunas camisas y pantalones dentro de una bolsa plástica y salí apresurado hacia el lado que supuse queda Vistahermosa. En una quebrada aseé mi cuerpo y continué la huida hacia la libertad.

Por la carretera pasaron unos milicianos a bordo de una motocicleta. Disparé los dos cartuchos que quedaban en el proveedor, pero ni se dieron cuenta por la velocidad que conducían el pequeño automotor.

Pensé que nunca volvería a ver a Mary Luz, pero no fue así.

Epílogo

La pesadilla no terminó ahí. En el recorrido entre la vereda Galilea y el área urbana de Colombia Huila el frente 17 de las farc interceptó el jeep en que viajaban mi mamá y mi hermano un sargento viceprimero del Ejército quien se encontraba en vacaciones. Los torturaron y los remataron a tiros, luego rociaron gasolina sobre los cuerpos, los metieron dentro del vehículo y los incineraron.

No pude dejar el vicio del exagerado consumo de bebidas embriagantes. Conseguí trabajo en una finca ganadera en Granada Meta, pero todos los fines de semana salía a los prostíbulos de Granada y San Carlos de Guaroa, donde localicé a Marleny y a Mary Luz. Madre e hija dedicadas de lleno a la prostitución, pero ya no quise convivir con ellas, pues recordé las instigadoras frases de Marleny el 6 de diciembre de 1981 en Galilea:

La guerra es tan comprometedora que dejé en Puerto Toledo a mi hija Mary Luz de tan solo 3 años y medio para venir a guerrear en el monte-

En medio de las borracheras veía a Marleny como la culpable de todas mis desgracias. Hasta pensé en matarla. Y mas rabia me dio aún cuando supe que ella incorporó a Nayibe al mismo oficio y que mi hijo vivía en una casa de citas.

Doblegado por el alcohol, dejé las penas y los pesos en los prostíbulos. En medio de tantas borracheras y noches de lujuria con mujerzuelas, abrí la boca más de lo necesario. Alguien me *sapió.*

- *Nadie es eterno en el mundo*- del reconocido y popular cantante Darío Gómez terminó de sonar en la radiola del bar.

-¡*Mija:* repita ese disco!- grité a la ramera que me atendía y le pasé unas monedas de quinientos pesos, para que las depositara en la ranura del aparato sonoro.

- ¡Ya va mi amor-! contestó con fingida y mecánica dulzura la mujer que me había delatado con quienes me buscaban para cobrar viejas deudas.

Alcé la mirada para identificar tres hombres que de repente se acercaron a la mesa. Debajo del sombrero llanero estaba la figura inconfundible de Gareca.

- Hola Johny: Mire como es la vida. No sabía que lo encontraríamos por aquí. A veces estamos muy cerca de quien creemos lejos-

Vi la figura de Gareca convertirse en llamas y *al cura convertido en el diablo* mientras Gaviria desenfundó la pistola. Quedé estampillado al asiento. Cerré los ojos para esperar la muerte. Conté el traqueteo de las pistolas. 1,2,3,4,5....24 disparos.

Una horrible mezcla de olores invadió el ambiente: Pólvora, sangre, cerveza vómitos. Fui perdiendo el conocimiento.

- Al fin cayó este *mal nacido* traidor- dijo Gareca

- Va derechito para el infierno- musitó Gaviria.

- El siempre ha estado allá- exclamó Nayibe, mientras sostenía en brazos un pequeño de dos años y medio de edad.

Por los lados de la mesa desfilaron una a una en las aguas de un riachuelo imaginario, Marleny Noralba, Yazmín, Mariela,

Sonia *la pilosa*, Adriana, Johana, Nancy, Claudia, Luz Marina, Nayibe, Mary Luz y con ellas muchas de las prostitutas que me atendieron en los bares de *mala muerte*. Por otro lado circularon las caras sonrientes de todas las personas que asesiné.

Entretanto mi mamá y mi hermano intentaron sacarme de la caldera ardiente pero no pudieron...

Si ve por las calles de los poblados del país a un andrajoso y parapléjico mendigo, que para todo invoca el nombre de Dios, pero que como dijo el maestro Valencia *en sus ojos quema la fiebre del tormento,* y usted curiosea por saber ¿quién es este hombre?.

¡Soy yo!.

¡Pago por los pecados cometidos!.

Fin

Obras del Autor

Ganar la guerra para conquistar la paz

Compendio analítico del pensamiento militar colombiano frente a los artificios de la guerra sicológica y la propaganda que realizan las guerrillas de las farc, el eln y el epl en el país. En 1993 la obra recibió elogios y reconocimientos de los comandantes de los ejércitos chileno, español y paraguayo, debido al contenido doctrinario y la profundidad del tema.

El eln por dentro

Resumen histórico y analítico del nacimiento, crecimiento y evolución de la cuadrilla Carlos Alirio Buitrago del eln en el sur oriente antioqueño, producto del trabajo sistemático de adoctrinamiento a los campesinos por parte del sacerdote y terrorista Bernardo López Arroyave con unos grupos católicos imbuidos por la teología de la liberación. Testimonio de primera mano en torno a la realidad interna dentro del cerrado grupo guerrillero.

El cartel de las farc

Demuestra con pruebas sólidas y fehacientes la conversión de las guerrillas comunistas de las farc en el tercer y más peligroso cartel de narcotraficantes colombianos. Prologado por el general Harold Bedoya Pizarro, fue reconocido como un testimonio sólido y veraz por parte del Departamento de Estado de los Estados Unidos. Fue traducido al inglés y publicado bajo el título **The farc Cartel**.

La Selva Roja

Prologada por el escritor colombiano Plinio Apuleyo Mendoza, esta obra escudriña el proceso histórico actualizado del inocultable maridaje entre el partido comunista colombiano y las farc, así como la trayectoria de Pedro Antonio Marín alias tirofijo, cabecilla de dicha agrupación terrorista. Es el texto mas documentado que se haya escrito en Colombia acerca de la evolución política, armada y financiera de las farc. Por su contenido, constituye un texto de historia colombiana contemporánea.

Drama, Pesadilla y Espectáculo

Relata el asalto terrorista del bloque sur las farc contra la base militar de Las Delicias ubicada en el selvático departamento del Putumayo, ocurrido el 31 de agosto de 1996, con la muerte de 30 soldados y el secuestro de 60 militares durante nueve meses, sumados a la ruidosa liberación, consentida por la debilidad del presidente Samper, en uno de los momentos más críticos del gobernante más cuestionado durante la segunda mitad del siglo en Colombia.

Deyanira, canto de guerra y paz

Conmovedora historia que describe la realidad objetiva de la Colombia rural, azotada por el narcotráfico, la guerrilla y la delincuencia común, por medio de las vivencias de una joven campesina, cuya suerte y destino es la constante de muchas personas de su nivel social en Colombia. Deyanira nació en medio de todas las dificultades conexas a la guerra interna que agobia a los colombianos, padeció todas las vicisitudes correlacionadas con el fenómeno y a pesar de todo se superó hasta alcanzar el título de socióloga.

¿Cesó la horrible noche?

Estremecedor relato de un reservista del Ejército Nacional, sobreviviente a una masacre cometida por la quinta cuadrilla de las farc en el Urabá. Después de nueve meses de cautiverio, el joven fue liberado en una turbia maniobra en la que participaron unos ciudadanos europeos, supuestos miembros de la Cruz Roja Internacional. Es a la vez una denuncia fundamentada para que el lector conozca y evalúe atrocidades que parecieran ser sacadas de una película de ficción.

Cóndor en el aire

Análisis documentado de los pormenores de la famosa Operación Anorí, que culminó con la baja en combate de los hermanos Manuel y Antonio Vásquez Castaño fundadores del eln, que a la vez llevó al grupo terrorista al borde de la extinción en 1973, como consecuencia de la incesante presión del Ejército Nacional, coyuntura histórica que fue desperdiciada por las ambiciones politiqueras personales y la falta de estrategia integral del Estado colombiano en cabeza del entonces presidente Alfonso López Michelsen, para combatir el fenómeno guerrillero en el país iniciado y manipulado por el dictador comunista cubano Fidel Castro desde la isla. El relato es a la vez un duro cuestionamiento a quienes manejan el poder político en Colombia y no han querido enfrentar la guerra con estrategias de guerra.

La silla vacía

Análisis estratégico del fracasado proceso de paz entre la administración Pastrana y las farc. Obra que ha sido texto de análisis en diferentes universidades dentro y fuera del país. Libro ganador del premio 2003 Latino Literary Awards concedido por la organización estadounidense Latino Books Festivals en Mayo de 2003 en Los Angeles California como The Best History Book, superando inclusive al maestro Germán Arciniégas con su obra *América: 500 años de un nombre.*

Índice Alfabético de nombres

Abel, 96,98
Adriana, 180,182,183,184,185,186,187,197
Agudelo Ríos John, 75
Aipe,89
Alba Marina, 60
Albeiro, 34
Alberto, 84,86,92
Alberto Ciro, 129
Aldemar, 28,29
Alexander el gocho, 26,59,65,66,67,68
Alfonso Tabaco, 180
Algeciras, 43
Alipio, 151
Alka Seltzer, 188,190,191
Alonso, 23,25,27,30,32,34,36,37,41,42,46,51,52,59,64,82,119
Andrea, 44,46
Angola, 63
Angelino, 167
Aníbal, 92
Antioquia San Carlos, 126
Antonio, 190,191
Arango Zapata Carlos, 125
Armando Ríos, 70,115
Arley, 190
Arnoby, 140,141,143
Argemiro, 63,114
Arenas Jacobo,55,56,57,58,61,62,63,64,69,70,74,113,115,116,122,
123,124,125,126,127,128,129,131,137,143,146.
Arenas, Beatriz, 56,58,144,145,152
Arenas Pacho, 56,144,152
Arizmendi Sánchez Rubén Darío, 83

Arnulfo, 34,65,110,111,174,178
Arley, 190,191
Arquimedes, 139,140,152
Álvaro, 57
Antequera José, 122
Altamizal, 76
Aurora, 27, 77, 109, 110
Bajo Pato, 53,54,75,165
Baraya, 38,84
Barco Vargas Virgilio, 89
Becerra, 110,111
Bertulfo, 120, 121
Betancurt Cuartas Belisario, 69,84,87,133,150
Bogotá, 18,81,93,95,97,122,123,134,137
Bolsa Chica, 131
Bolsa Grande, 131
Bosa, 94,137
Buenavista, 140
Cabrera, 26,130
Cajicá, 148
Cali, 81,134
Cambodia, 62
Campoalegre, 84,87,88,92,93,94,122
Cano Alfonso,
61,80,95,119,120,121,122,123,124,137,146,153,154,164
Cano María, 126
Caquetá, 81,109
Cáqueza, 124
Caraballo Francisco, 122,147
Carlina, 138
Carlos Julio, 115,116,117,118,119,120,122,141
Carlos Gómez, 87,91
Carlos Movil, 132
Carlos Paramuno, 179
Carlos Patiño, 92,111,112,178
Carmen González, 82
Carolina, 82,130,134
Casa verde,
57,59,69,70,89,127,131,147,148,152,165,165,168,170,178

Castro Fidel, 147
Cauca, 85,93,94,120
Cepeda Manuel, 123
¿Cesó la horrible noche? , 201
Chepe, 44,45
Claudia, 113,114,170,197
Cocorico, 57
Colombia, 17,71
Colombia Huila, 11,52,83,116
Cóndor en el aire, 201
Conrado Julián, 128,129
Costa Rica, 181
Cuba, 29,62,147
Cunday, 70
Cundinamarca, 26,76
Cura, 186,187,189,196
Cura Pérez, 147
Deyanira, canto de guerra y paz, 200
Deysi, 60
Díaz Jesús, 91,92
Diego,76,79
Duvar, 13,18,19,20,21,22,40,52,78,141
Darwin, 13,16,17,18,19,20,21,78,109,118,119,141
Drama, Pesadilla y espectáculo, 200
Edilberto, 27,29,32,35,40,43,46,47,51,59,91,95,107,111,112
Edison, 16,17,18,82
El Bosquecito, 89
El Control de las farc, 199
El eln por dentro, 199
El Café, 77
El Carmen, 80
El Chamuscado, 55
El Confin, 129,137
El Doncello, 67
El Dorado, 20,116,140,141
El Duda, 67,70,122,134,137
El Guayabero, 69
El Hobo, 25
El Palmar, 60,71

El Panchon, 151
El Paraíso, 174
El Playón, 52
El Recreo,172
El Rucio, 154,158,169
El Salvador, 62,128
El Playón, 52
Fabian, 124
Fermín, 144,179
Ferney, 26,37,38,92,93
Flor Ángela, 60
Florencia, 81
Fortalecillas, 86,87
Francy, 174
Fuente de Oro, 78
Gabriela, 14
Gaitan, 158
Galilea Vereda, 12,13,15,17,25,76,83,114,115,195
Ganar la guerra para conquistar la paz, 199
Gareca, 186,187,189,196
Gaviria, 186,196
Gaviria Trujillo Cesar, 131,148,153
Genaro, 193
Germán, 144
Gigante, 12,95
Gildardo, 30
Gómez Hurtado Álvaro, 149
Gómez Nancy, 87,90,91,92,95,97,197
Graciela, 44,46
Granada, 170
Granobles, 170
Guaracas Jaime, 53,56,57,60
Guarín Vera Pablo, 123
Guayabero, 167,169
Gutiérrez Bernardo, 148
Güejar río, 183,184
Guzmán Félix, 84,85,89
Henry, 127
Herrera Braulio, 120

Hoya de Varela, 122
Hueco Frío, 120,128
Hugo, 179,185
Huila, 13,20,26,43,53,81,84,86,91,97,1098,161
Ibague, 87,96
Icononzo, 70,77
Ignacio, 179
Ituango, 82,130,
Izquierdo Adán, 129
Iván, 116, 17,122
Jaramillo Ossa Bernardo, 137,138
Jardín de Peñas, 67
John Freddy, 33,40,41,43,106
Jorginho, 128
Joselo, 53,54,57
Johana, 117,119,120,170,197
Jojoy, 124,167,172
Juan, 110,111
Laos, 62
La Caucha, 60,80,157
La Colonia, 71,76
La Explanación, 61
La Gaitana, 89
La Garrucha, 57
La Línea, 140, 143
La Legiosa, 116,140
La Nevera, 83
La Plata, 81,95
Las Pavas, 75,77,114
La Totuma, 59
La Vega, 114
Laureles, 47,49,50
Lenín, 85
Lisímaco, 137,138
Leoni, 37,38,39
Leyva Durán Álvaro, 148,149,150
La selva roja, 200
Libardo, 137,174,175,177,178
Lozada Perdomo Rigoberto, 56

Lucho, 114
Luisinho, 128
Luz Marina, 78,79,80,95,114,197
Marcel, 99
Marcelino, 56,127,134
Mariela la cabra,
125,131,134,154,158,158,159,165,166,167,168,170,196
Mario, 52,53,91,105,106,108,109,111,113
Mary Luz, 13,187,188,189,192,193,195
Martín Villa, 186,189,190
Marulanda Vélez Manuel,
80,100,115,116,124,132,133,140,141,145,146,150,154,158,166
Marquetalia, 69,70,156,168
Mayor Pedro, 128,130,132
Marleny, 13,14,18,19,21,22,25,78,131,141,187,195
Medellín Antioquia, 167
Mercedes, 126
Meta, 20,57,61,70,78,125,170,188
Miguel, 184
Miguel Macano, 71
Miller, 128
Milton, 190
Miryam, 186
Misael, 40
Morales, 99,100,101,111
Moscu, 85
Napoleón Gaitan, 83
Nayibe, 110,113,117,134,137,139,141,143,144,151,153,167,168,
170,195
Neiva, 18,71,81,82,83,87,89,91,96,102,107,114,122,135
Nelson, 28,33,37,176
Neyder, 28
Nicaragua, 62
Nolver el mocho, 166,167,179
Noralba,67,68,70,158,170,
Norvey, 40,152
Ofelia Matíz, 17
Olga, 127
Olguita,36,102

Onofre, 158,153,162,163,164,174
Osman, 156
Otto Morales, 75
Palmar Bajo, 60
Pan pelado, 140
Pánfila, 25
Papamene río, 55,56,101,131,162,163,164,169
Páramo del Sumapaz, 21,128,139
Pardo Rueda Rafael, 136
París Andrés, 138,153
Pategallo, 137
Patequeso, 125,186
Pardo Isaías
Pardo Leal Jaime, 123,124
Pastrana Arango Andrés, 201
Patios, 38
Patricio, 107,108,109,110
Pedregal, 51
Pedro, 34,40
Piñalito, 191,192
Pitalito, 95,192
Pizarro Leongómez Carlos, 94,137
Plinio, 125
Popayán, 134
Potrero Grande, 51
Prado, 70,78
Puerto Crevaux, 54,55,56,158,169
Puerto Toledo, 125,188
Quebradón El, 20,140
Quintero Cesar Augusto, 101
Ramírez Ocampo Augusto, 150
Raúl Reyes, 80,82,133,134,137,141,146,153,157,169
Raúl Romero, 140,172,173
Rojas Pinilla, 71
Regimberto, 43
Rey José Fedor, 86,120,137
Riachón, 75,140
Rio Tique, 140,167
Rigoberto, 25

Riochiquito, 69,156
Rio Sinaí, 70,71,74
Rio Venado, 44,5
Roberto, 118
Robledo, 110,111,127
Rodrigo, 84,86
Rogelio, 43
Rosalba, 15
Rosario, 27,31,40
Rusia, 29,77
Sabaleta, 69
Salomón, 44
Samuel, 140
Santander, 56
San Pablo, 57
San Pedro, 114
San Antonio, 89,132
San Carlos vereda,
San Joaquín, 46
San Juan de Arama, 180,181,182
San Juan de Sumapaz, 71
San Rafael, 115
Santa Ana, 98
Santa Rosa de Cabal, 57
Santa Rita, 82
Santo Domingo, 139
Sonia la Pilosa, 174,178,179,197
Selva Roja,
Simón Bolívar,
Soacha, 94,137
Tello, 84,87,122
Termales de Rivera,
Tirofijo,58,60,61,74,76,89,115,124,125,129,132,133,134,137,140,141,147,
148,149,151,152,154,168,186.
Timochenko, 137,138,169
Tito, 118
Tobías, 43
Tolima, 26,70,74,114,154
Torres Edinson,

Tres Esquinas, 78,79
Triana Nicanor,
Trujillo, 120,121
Tula, 26,92
Une, 124
Urabá, 115
Uribe, 54,56,60,61,116,119,147,162,168
Valencia Guillermo, 145
Valle del Cauca, 81
Vegalarga, 33,89,93,94,132
Verania, 127
Vieira Gilberto, 122
Vilma la caucanita, 53,57,77
Villarrica, 70,71,76
Villavieja, 89
Villavicencio, 71,81
Vistahermosa, 70,181,182,192
Walter el bobito, 36,38,40,106
Walter Ríos, 152
Wilmer, 44,46
Wilson Ferreira, 180,182,183,184,186
Wilson Ruíz, 173
Yavías, 61,69,169
Yazmín, 64,67,98,119,170,196
Yessica, 92,102
Yurí, 128,131

ESTE LIBRO SE IMPRIMIÓ EN LOS TALLERES
DEL GRUPO TM S.A.
CARRERA 19 No. 14-33
TELÉFONO: 277 21 75
Bogotá, D.C.